사고력 수학 소마가 개발한 연산학습의 새 기준!!

소마의 **마**술같은 원리**셈**

C5
3학년

수학이 즐거워지는 특별한 수학교실
소마에서 개발한 연산교재 소마셈

소마셈

2002년 대치소마 개원 이후로 끊임없는 교재 연구와 교구의 개발은 소마의 자랑이자 자부심입니다. 교구, 게임, 토론 등의 다양한 활동식 수업으로 스스로 문제해결능력을 키우고, 아이들이 수학에 대한 흥미와 자신감을 가질 수 있도록 차별성 있는 수업을 해 온 소마에서 연산 학습의 새로운 패러다임을 제시합니다.

연산 교육의 현실

연산 교육의 가장 큰 폐해는 '초등 고학년 때 연산이 빠르지 않으면 고생한다.'는 기존 연산 학습지의 왜곡된 마케팅으로 인해 단순 반복을 통한 기계적 연산을 강조하는 것입니다. 하지만, 기계적 반복을 위주로 하는 연산은 개념과 원리가 빠진 연산 학습으로써 아이들이 수학을 싫어하게 만들 뿐 아니라 사고의 확장을 막는 학습방법입니다.

초등수학 교과과정과 연산

초등교육과정에서는 문자와 기호를 사용하지 않고 말로 풀어서 연산의 개념과 원리를 설명하다가 중등교육과정부터 문자와 기호를 사용합니다. 교과서를 살펴보면 모든 연산의 도입에 원리가 잘 설명되어 있습니다. 요즘 현실에서는 연산의 원리를 묻는 서술형 문제도 많이 출제되고 있는데 연산은 연습이 우선이라는 인식이 아직도 지배적입니다.

연산 학습은 어떻게?

연산 교육은 별도로 떼어내어 추상적인 숫자나 기호만 가지고 다뤄서는 절대로 안됩니다. 구체물을 가지고 생각하고 이해한 후, 연산 연습을 하는 것이 필요합니다. 또한, 속도보다 정확성을 위주로 학습하여 실수를 극복할 수 있는 좋은 습관을 갖추는 데에 초점을 맞춰야 합니다.

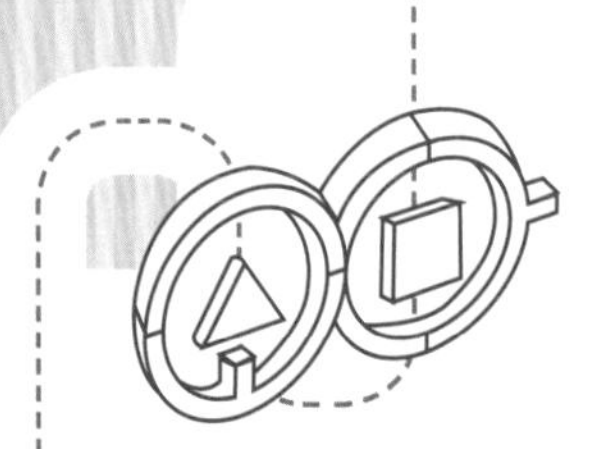

소마셈 연산학습 방법

10이 넘는 한 자리 덧셈 구체물을 통한 개념의 이해

덧셈과 뺄셈의 기본은 수를 세는 데에 있습니다. 8+4는 8에서 1씩 4번을 더 센 것이라는 개념이 중요합니다. 10의 보수를 이용한 받아 올림을 생각하면 8+4는 (8+2)+2지만 연산 공부를 시작할 때에는 덧셈의 기본 개념에 충실한 것이 좋습니다. 이 책은 구체물을 통해 개념을 이해할 수 있도록 구체적인 예를 든 연산 문제로 구성하였습니다.

가로셈 가로셈을 통한 수에 대한 사고력 기르기

세로셈이 잘못된 방법은 아니지만 연산의 원리는 잊고 받아 올림한 숫자는 어디에 적어야 하는지만을 기억하여 마치 공식처럼 풀게 합니다. 기계적으로 반복하는 연습은 생각없이 연산을 하게 만듭니다. 가로셈을 통해 원리를 생각하고 수를 쪼개고 붙이는 등의 과정에서 키워질 수 있는 수에 대한 사고력도 매우 중요합니다.

곱셈구구 곱셈도 개념 이해를 바탕으로

곱셈구구는 암기에만 초점을 맞추면 부작용이 큽니다. 곱셈은 덧셈을 압축한 것이라는 원리를 이해하며 구구단을 외움으로써 연산을 빨리 할 수 있다는 것을 알게 해야 합니다. 곱셈구구를 외우는 것도 중요하지만 곱셈의 의미를 정확하게 아는 것이 더 중요합니다. 4×3을 할 줄 아는 학생이 두 자리 곱하기 한 자리는 안 배워서 45×3을 못 한다고 말하는 일은 없도록 해야 합니다.

K단계 (5, 6, 7세) • 연산을 시작하는 단계

뛰어세기, 거꾸로 뛰어세기를 통해 수의 연속한 성질(linearity)을 이해하고 덧셈, 뺄셈을 공부합니다. 각 권의 호흡은 짧지만 일관성 있는 접근으로 자연스럽게 나선형식 반복학습의 효과가 있도록 하였습니다.

학습대상 : 연산을 시작하는 아이와 한 자리 수 덧셈을 구체물(손가락 등)을 이용하여 해결하는 아이

학습목표 : 수와 연산의 튼튼한 기초 만들기

P단계 (7세, 1학년) • 받아올림이 있는 덧셈, 뺄셈을 배울 준비를 하는 단계

5, 6, 9 뛰어세기를 공부하면서 10을 이용한 더하기, 빼기의 편리함을 알도록 한 후, 가르기와 모으기의 집중학습으로 보수 익히기, 10의 보수를 이용한 덧셈, 뺄셈의 원리를 공부합니다.

학습대상 : 받아올림이 없는 한 자리 수의 덧셈을 할 줄 아는 학생

학습목표 : 받아올림이 있는 연산의 토대 만들기

A단계 (1학년) • 초등학교 1학년 교과과정 연산

받아올림이 있는 한 자리 수의 덧셈, 뺄셈은 연산 전체에 매우 중요한 단계입니다. 원리를 정확하게 알고 A1에서 A4까지 총 4권에서 한 자리 수의 연산을 다양한 과정으로 연습하도록 하였습니다.

학습대상 : 초등학교 1학년 수학교과과정을 공부하는 학생

학습목표 : 10의 보수를 이용한 받아올림이 있는 덧셈, 뺄셈

B단계 (2학년) • 초등학교 2학년 교과과정 연산

두 자리, 세 자리 수의 연산을 다룬 후 곱셈, 나눗셈을 다루는 과정에서 곱셈구구의 암기를 확인하기보다는 곱셈구구를 외우는데 도움이 되고, 곱셈, 나눗셈의 원리를 확장하여 사고할 수 있도록 하는데 초점을 맞추었습니다.

학습대상 : 초등학교 2학년 수학교과과정을 공부하는 학생

학습목표 : 덧셈, 뺄셈의 완성 / 곱셈, 나눗셈의 원리를 정확하게 알고 개념 확장

C단계 (3학년) • 초등학교 3, 4학년 교과과정 연산

B단계까지의 소마셈은 다양한 문제를 통해서 학생들이 즐겁게 연산을 공부하고 원리를 정확하게 알게 하는데 초점을 맞추었다면, C단계는 3학년 과정의 큰 수의 연산과 4학년 과정의 혼합 계산, 괄호를 사용한 식 등, 필수 연산의 연습을 충실히 할 수 있도록 하였습니다.

학습대상 : 초등학교 3, 4학년 수학교과과정을 공부하는 학생

학습목표 : 큰 수의 곱셈과 나눗셈, 혼합 계산

D단계 (4학년) • 초등학교 4, 5학년 교과과정 연산

분모가 같은 분수의 덧셈과 뺄셈, 소수의 덧셈과 뺄셈을 공부하여 초등 4학년 과정 연산을 마무리하고 초등 5학년 연산과정에서 가장 중요한 약수와 배수, 분모가 다른 분수의 덧셈과 뺄셈을 충분히 익힐 수 있도록 하였습니다.

학습대상 : 초등학교 4, 5학년 수학교과과정을 공부하는 학생

학습목표 : 분모가 같은 분수의 덧셈과 뺄셈, 소수의 덧셈과 뺄셈, 분모가 다른 분수의 덧셈과 뺄셈

소마셈 단계별 학습내용

K단계 추천연령 : 5, 6, 7세

단계	K1	K2	K3	K4
권별 주제	10까지의 더하기와 빼기 1	20까지의 더하기와 빼기 1	10까지의 더하기와 빼기 2	20까지의 더하기와 빼기 2
단계	K5	K6	K7	K8
권별 주제	10까지의 더하기와 빼기 3	20까지의 더하기와 빼기 3	20까지의 더하기와 빼기 4	7까지의 가르기와 모으기

P단계 추천연령 : 7세, 1학년

단계	P1	P2	P3	P4
권별 주제	30까지의 더하기와 빼기 5	30까지의 더하기와 빼기 6	30까지의 더하기와 빼기 10	30까지의 더하기와 빼기 9
단계	P5	P6	P7	P8
권별 주제	9까지의 가르기와 모으기	10 가르기와 모으기	10을 이용한 더하기	10을 이용한 빼기

A단계 추천연령 : 1학년

단계	A1	A2	A3	A4
권별 주제	덧셈구구	뺄셈구구	세 수의 덧셈과 뺄셈	□가 있는 덧셈과 뺄셈
단계	A5	A6	A7	A8
권별 주제	(두 자리 수)+(한 자리 수)	(두 자리 수)−(한 자리 수)	두 자리 수의 덧셈과 뺄셈	□가 있는 두 자리 수의 덧셈과 뺄셈

B단계 추천연령 : 2학년

단계	B1	B2	B3	B4
권별 주제	(두 자리 수)+(두 자리 수)	(두 자리 수)−(두 자리 수)	세 자리 수의 덧셈과 뺄셈	덧셈과 뺄셈의 활용
단계	B5	B6	B7	B8
권별 주제	곱셈	곱셈구구	나눗셈	곱셈과 나눗셈의 활용

C단계 추천연령 : 3학년

단계	C1	C2	C3	C4
권별 주제	두 자리 수의 곱셈	두 자리 수의 곱셈과 활용	두 자리 수의 나눗셈	세 자리 수의 나눗셈과 활용
단계	C5	C6	C7	C8
권별 주제	큰 수의 곱셈	큰 수의 나눗셈	혼합 계산	혼합 계산의 활용

D단계 추천연령 : 4학년

단계	D1	D2	D3	D4
권별 주제	분모가 같은 분수의 덧셈과 뺄셈(1)	분모가 같은 분수의 덧셈과 뺄셈(2)	소수의 덧셈과 뺄셈	약수와 배수
단계	D5	D6		
권별 주제	분모가 다른 분수의 덧셈과 뺄셈(1)	분모가 다른 분수의 덧셈과 뺄셈(2)		

구성과 특징

1

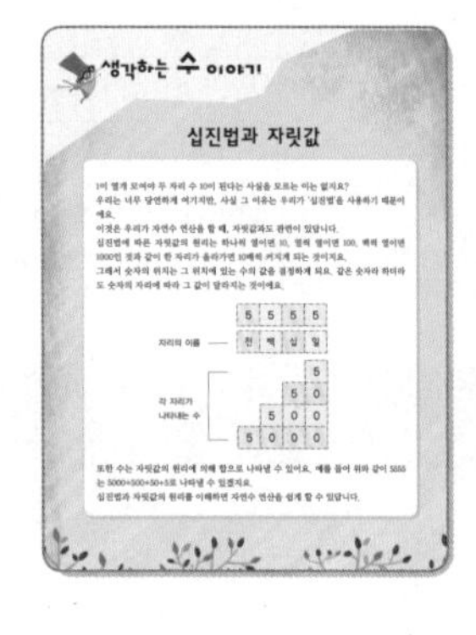

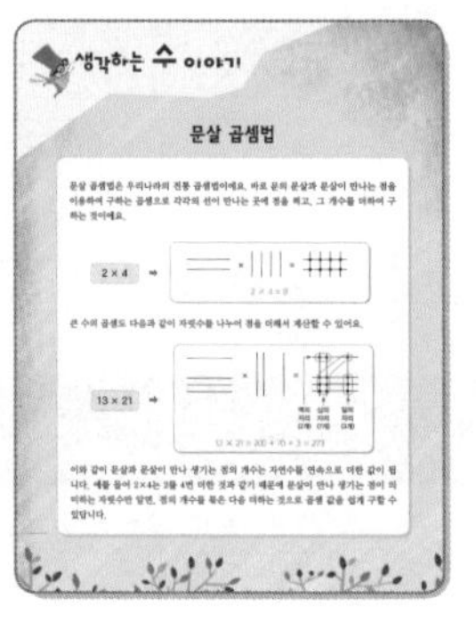

수 이야기

생활 속의 수 이야기를 통해 수와 연산의 이해를 돕습니다. 수의 역사나 재미있는 연산 문제를 접하면서 수학이 재미있는 공부가 되도록 합니다.

2

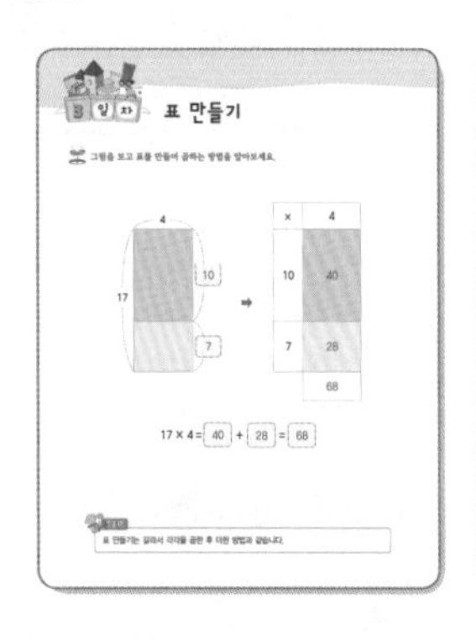

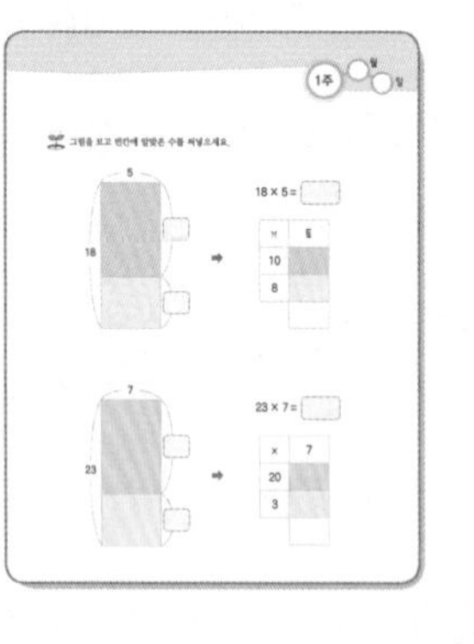

원리

가장 기본적인 연산의 원리를 소개합니다. 이때 다양한 방법을 제시하되 가장 효과적인 방법을 적용할 수 있도록 단계적으로 접근하여 충분한 원리의 이해를 돕습니다.

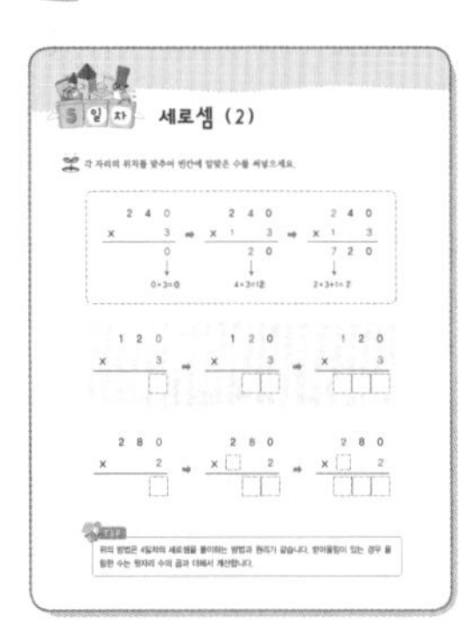

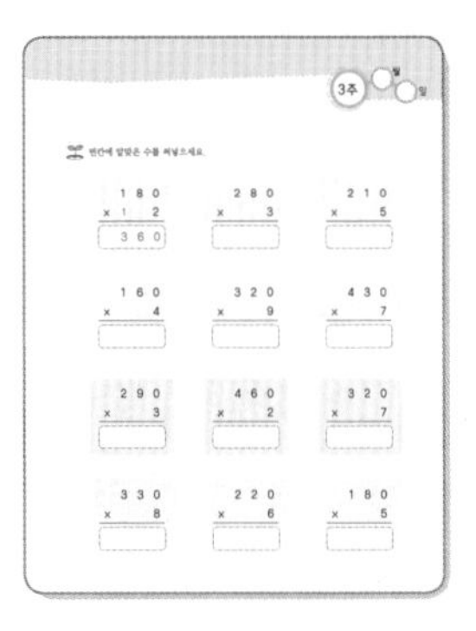

연습

원리의 이해를 바탕으로 연산이 익숙해지도록 연습합니다. 먼저 반복적인 연산 연습 후에 나아가 배운 원리를 활용하여 확장된 문제를 해결합니다.

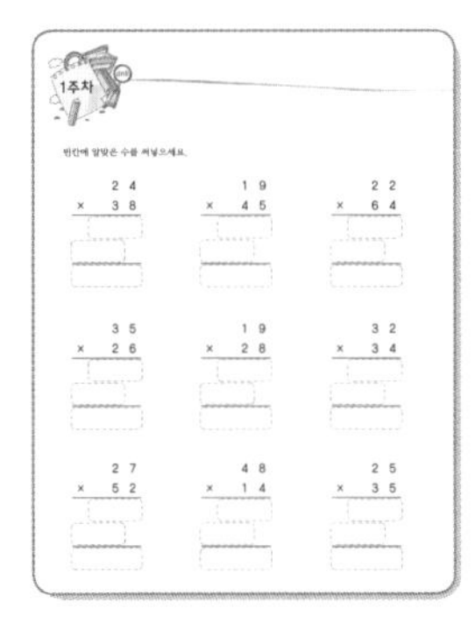

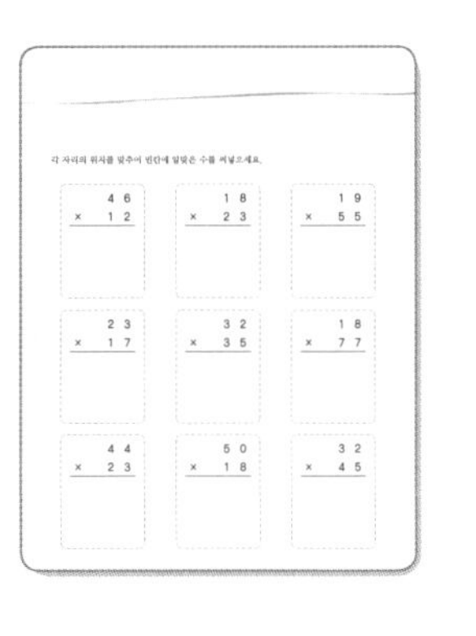

Drill (보충학습)

주차별 주제에 대한 연습이 더 필요한 경우 보충학습을 활용합니다.

TIP 연산과정의 확인이 필수적인 주제는 Drill의 양을 2배로 담았습니다.

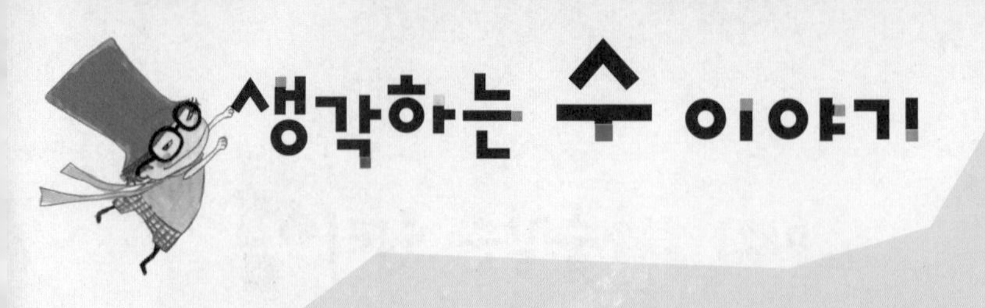

복면산

복면산이란 문자로 표현된 수식에서 각 문자가 나타내는 숫자를 추리해 알아맞히는 수학퍼즐의 한 종류입니다. 숫자를 문자로 숨겨서 나타내므로 마치 숫자가 문자라는 '복면'을 쓰고 있는 연산과 같아서 복면산이라고 부른답니다.

복면산 문제에서 같은 문자는 같은 숫자를 나타내고, 맨 앞자리의 숫자는 0이 아니라고 가정하여 문제를 푸는데, 이때 무조건 수를 대입하여 푸는 것보다는 주어진 계산식이 가지고 있는 단서, 즉 계산식의 특징과 홀수, 짝수 등의 특징을 이용하여 문제를 해결하도록 합니다.

다음 문제에서 각 문자에 알맞은 숫자를 구해봅시다.

$$\begin{array}{r} A\ B \\ \times\ \ \ B \\ \hline C\ A \end{array} \quad \Rightarrow \quad \begin{array}{r} \square\square \\ \times\ \ \ \square \\ \hline \square\square \end{array}$$

먼저 위의 문제에서 같은 수끼리 곱했을 때, 일의 자리 숫자 A가 될 수 있는 숫자를 모두 찾아봅니다. B=2 또는 8일 때 A=4, B=3 또는 7일 때 A=9, B=4일 때 A=6, B=9일때 A=1입니다. 이때, B와의 곱이 새로운 수 C가 되는 것을 찾으면 A=4, B=2, C=8이 됩니다.

소마셈 C5 – 1주차

(세 자리 수) × (두 자리 수) (1)

몇백, 몇천의 곱

다음과 같이 몇백, 몇천의 곱을 해 보세요.

14의 200배 ➡ 14 × 200 = 2 8 0 0

14의 2000배 ➡ 14 × 2000 = 2 8 0 0 0

16의 300배 ➡ 16 × 300 =

16의 3000배 ➡ 16 × 3000 =

31의 400배 ➡ 31 × 400 =

31의 4000배 ➡ 31 × 4000 =

TIP

(두 자리 수)×(몇백), (몇천)의 곱은 (두 자리 수)×(몇)을 계산한 다음, 그 곱에 곱하는 수의 0의 개수만큼 0을 붙이면 됩니다.

□ 안에 알맞은 수를 써넣으세요.

$23 \times 300 =$ 6900

$26 \times 2000 =$ 52000

$17 \times 600 =$ □

$18 \times 5000 =$ □

$32 \times 200 =$ □

$34 \times 3000 =$ □

$18 \times 300 =$ □

$46 \times 2000 =$ □

$41 \times 200 =$ □

$53 \times 2000 =$ □

$56 \times 200 =$ □

$24 \times 7000 =$ □

어림셈

그림을 보고 어림셈하는 방법을 알아보세요.

127 × 48을 어림셈하기

① 

➡ 127은 100으로 어림할 수 있습니다.

② 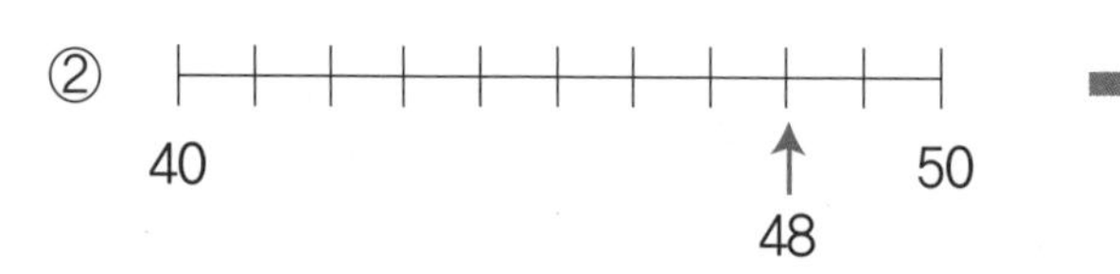

➡ 48은 50으로 어림할 수 있습니다.

③ 127 × 48은 100 × 50 = 5000으로 어림할 수 있습니다.

184 × 53을 어림셈하기

① 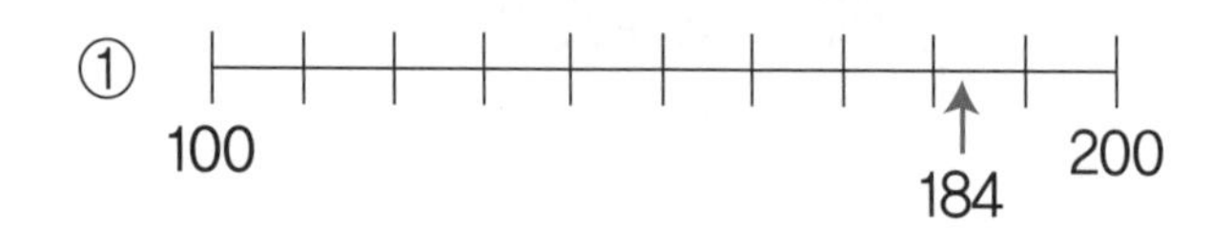

184는 [ ]으로 어림할 수 있습니다.

② 

53은 [ ]으로 어림할 수 있습니다.

③ 184 × 53은 [ ] × [ ] = [ ]으로 어림할 수 있습니다.

 어림셈하여 □ 안에 알맞은 수를 써넣으세요.

175 × 29를 어림셈하기

175는 [200]으로, 29는 [30]으로 각각 어림할 수 있습니다.

그러므로, 175 × 29는 [200] × [30] = [6000]으로 어림할 수 있습니다.

321 × 54를 어림셈하기

321은 □으로, 54는 □으로 각각 어림할 수 있습니다.

그러므로, 321 × 54는 □ × □ = □으로 어림할 수 있습니다.

446 × 82를 어림셈하기

446은 □으로, 82는 □으로 각각 어림할 수 있습니다.

그러므로, 446 × 82는 □ × □ = □으로 어림할 수 있습니다.

682 × 36을 어림셈하기

682는 □으로, 36은 □으로 각각 어림할 수 있습니다.

그러므로, 682 × 36은 □ × □ = □으로 어림할 수 있습니다.

어림셈하여 가장 가까운 수에 ○표 하세요.

문제	보기
32 × 19	60 / (600) / 6000
16 × 71	140 / 1400 / 14000
125 × 17	20 / 200 / 2000
285 × 19	600 / 6000 / 60000
273 × 38	120 / 1200 / 12000
318 × 22	60 / 600 / 6000
584 × 61	3600 / 36000 / 360000
793 × 43	320 / 3200 / 32000

30×20=600

(세 자리 수) × (몇십)

 각 자리의 위치를 맞추어 빈칸에 알맞은 수를 써넣으세요.

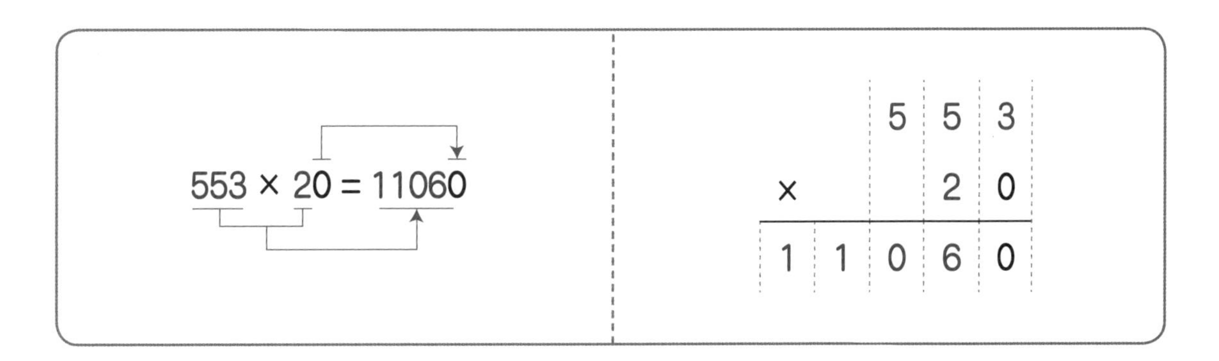

		2	1	7
×			5	0

		3	4	2
×			4	0

		2	6	2
×			7	0

		4	4	7
×			3	0

		6	3	1
×			2	0

		5	2	5
×			4	0

		3	6	9
×			3	0

		5	1	7
×			3	0

		2	3	8
×			8	0

빈칸에 알맞은 수를 써넣으세요.

$$\begin{array}{r} 455 \\ \times\ 30 \\ \hline 13650 \end{array}$$

$$\begin{array}{r} 641 \\ \times\ 40 \\ \hline \square \end{array}$$

$$\begin{array}{r} 542 \\ \times\ 60 \\ \hline \square \end{array}$$

$$\begin{array}{r} 837 \\ \times\ 20 \\ \hline \square \end{array}$$

$$\begin{array}{r} 469 \\ \times\ 40 \\ \hline \square \end{array}$$

$$\begin{array}{r} 248 \\ \times\ 70 \\ \hline \square \end{array}$$

$$\begin{array}{r} 704 \\ \times\ 50 \\ \hline \square \end{array}$$

$$\begin{array}{r} 347 \\ \times\ 40 \\ \hline \square \end{array}$$

$$\begin{array}{r} 568 \\ \times\ 30 \\ \hline \square \end{array}$$

$$\begin{array}{r} 236 \\ \times\ 60 \\ \hline \square \end{array}$$

$$\begin{array}{r} 825 \\ \times\ 20 \\ \hline \square \end{array}$$

$$\begin{array}{r} 747 \\ \times\ 40 \\ \hline \square \end{array}$$

(세 자리 수)×(두 자리 수) (1)

각 자리의 위치를 맞추어 빈칸에 알맞은 수를 써넣으세요.

345 × 27 2415	➡	345 × 27 2415 690	➡	345 × 27 2415 ← (345×7) 690 ← (345×20) 9315

252 × 36 ☐	➡	252 × 36 ☐ ☐	➡	252 × 36 ☐ ☐ ☐
337 × 25 ☐	➡	337 × 25 ☐ ☐	➡	337 × 25 ☐ ☐ ☐

빈칸에 알맞은 수를 써넣으세요.

$$\begin{array}{r} 2\ 2\ 6 \\ \times \quad 3\ 4 \\ \hline 9\ 0\ 4 \\ 6\ 7\ 8\ \\ \hline 7\ 6\ 8\ 4 \end{array}$$

$$\begin{array}{r} 4\ 5\ 8 \\ \times \quad 2\ 1 \\ \hline \square \\ \square\ \\ \hline \square \end{array}$$

$$\begin{array}{r} 3\ 6\ 9 \\ \times \quad 3\ 2 \\ \hline \square \\ \square\ \\ \hline \square \end{array}$$

$$\begin{array}{r} 3\ 5\ 5 \\ \times \quad 4\ 6 \\ \hline \square \\ \square\ \\ \hline \square \end{array}$$

$$\begin{array}{r} 6\ 1\ 4 \\ \times \quad 3\ 7 \\ \hline \square \\ \square\ \\ \hline \square \end{array}$$

$$\begin{array}{r} 6\ 0\ 5 \\ \times \quad 2\ 9 \\ \hline \square \\ \square\ \\ \hline \square \end{array}$$

$$\begin{array}{r} 7\ 5\ 4 \\ \times \quad 1\ 6 \\ \hline \square \\ \square\ \\ \hline \square \end{array}$$

$$\begin{array}{r} 5\ 5\ 3 \\ \times \quad 2\ 6 \\ \hline \square \\ \square\ \\ \hline \square \end{array}$$

$$\begin{array}{r} 2\ 8\ 6 \\ \times \quad 4\ 2 \\ \hline \square \\ \square\ \\ \hline \square \end{array}$$

빈칸에 알맞은 수를 써넣으세요.

$$\begin{array}{r} 169 \\ \times \quad 52 \\ \hline \end{array}$$

$$\begin{array}{r} 264 \\ \times \quad 38 \\ \hline \end{array}$$

$$\begin{array}{r} 508 \\ \times \quad 24 \\ \hline \end{array}$$

$$\begin{array}{r} 428 \\ \times \quad 34 \\ \hline \end{array}$$

$$\begin{array}{r} 663 \\ \times \quad 19 \\ \hline \end{array}$$

$$\begin{array}{r} 291 \\ \times \quad 53 \\ \hline \end{array}$$

$$\begin{array}{r} 638 \\ \times \quad 27 \\ \hline \end{array}$$

$$\begin{array}{r} 578 \\ \times \quad 46 \\ \hline \end{array}$$

$$\begin{array}{r} 351 \\ \times \quad 72 \\ \hline \end{array}$$

(세 자리 수) × (두 자리 수) (2)

각 자리의 위치를 맞추어 빈칸에 알맞은 수를 써넣으세요.

$$\begin{array}{r} 334 \\ \times \quad 45 \\ \hline 1670 \\ 1336 \\ \hline 15030 \end{array}$$

$$\begin{array}{r} 339 \\ \times \quad 18 \\ \hline \end{array}$$

$$\begin{array}{r} 167 \\ \times \quad 33 \\ \hline \end{array}$$

$$\begin{array}{r} 415 \\ \times \quad 42 \\ \hline \end{array}$$

$$\begin{array}{r} 184 \\ \times \quad 27 \\ \hline \end{array}$$

$$\begin{array}{r} 339 \\ \times \quad 16 \\ \hline \end{array}$$

$$\begin{array}{r} 458 \\ \times \quad 32 \\ \hline \end{array}$$

$$\begin{array}{r} 517 \\ \times \quad 27 \\ \hline \end{array}$$

$$\begin{array}{r} 622 \\ \times \quad 19 \\ \hline \end{array}$$

각 자리의 위치를 맞추어 빈칸에 알맞은 수를 써넣으세요.

$$\begin{array}{r} 164 \\ \times \quad 53 \\ \hline \end{array}$$

$$\begin{array}{r} 256 \\ \times \quad 32 \\ \hline \end{array}$$

$$\begin{array}{r} 414 \\ \times \quad 68 \\ \hline \end{array}$$

$$\begin{array}{r} 532 \\ \times \quad 27 \\ \hline \end{array}$$

$$\begin{array}{r} 409 \\ \times \quad 64 \\ \hline \end{array}$$

$$\begin{array}{r} 632 \\ \times \quad 23 \\ \hline \end{array}$$

$$\begin{array}{r} 842 \\ \times \quad 19 \\ \hline \end{array}$$

$$\begin{array}{r} 274 \\ \times \quad 35 \\ \hline \end{array}$$

$$\begin{array}{r} 207 \\ \times \quad 53 \\ \hline \end{array}$$

Note

소마셈 C5 – 2주차

(세 자리 수) × (두 자리 수) (2)

잘못된 식

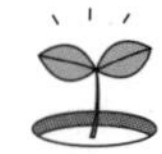 다음과 같이 계산이 잘못된 곳을 찾아 표시하고, 답을 바르게 고쳐 보세요.

$$\begin{array}{r} 415 \\ \times \quad 48 \\ \hline 3320 \\ \not{1}\not{6}\not{6}\not{0} \\ \hline \not{4}\not{9}\not{8}\not{0} \end{array} \quad \Rightarrow \quad \begin{array}{r} 415 \\ \times \quad 48 \\ \hline 3320 \\ 1660 \\ \hline 19920 \end{array}$$

$$\begin{array}{r} 207 \\ \times \quad 67 \\ \hline 1449 \\ 12042 \\ \hline 121869 \end{array} \quad \Rightarrow$$

$$\begin{array}{r} 354 \\ \times \quad 72 \\ \hline 708 \\ 2478 \\ \hline 3186 \end{array} \quad \Rightarrow$$

계산이 잘못된 곳을 찾아 표시하고, 답을 바르게 고쳐 보세요.

		8	2	0
×			5	7
	5	7	4	0
	4	1	0	
	9	8	4	0

➡

		2	5	0
×			8	4
		1	0	0
2	0	0	0	
2	0	1	0	0

➡

		6	0	0
×			4	9
	5	4	0	0
	2	4	0	
	7	8	0	0

➡

수 상자

빈칸에 알맞은 수를 써넣으세요.

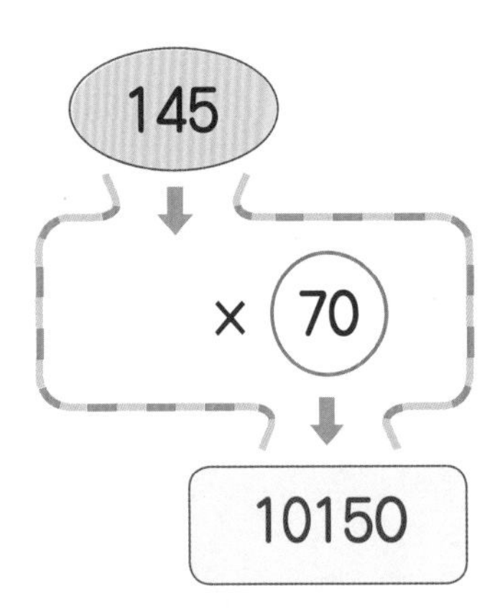

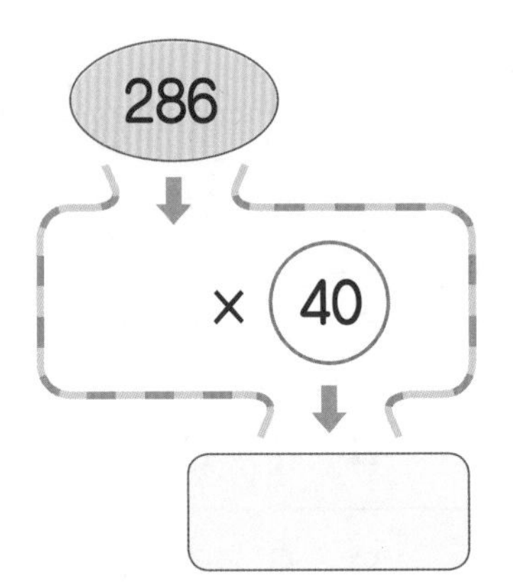

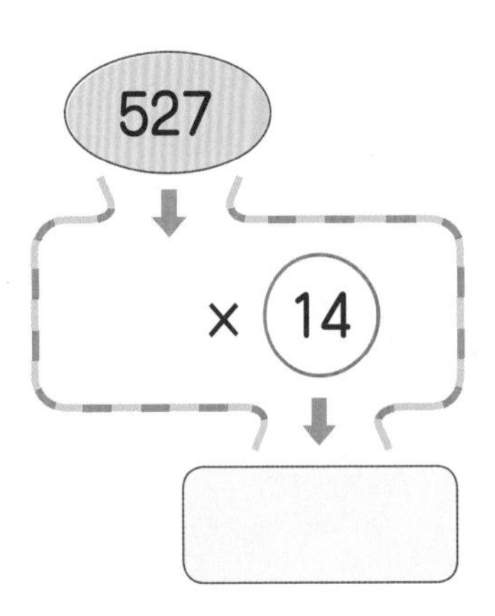

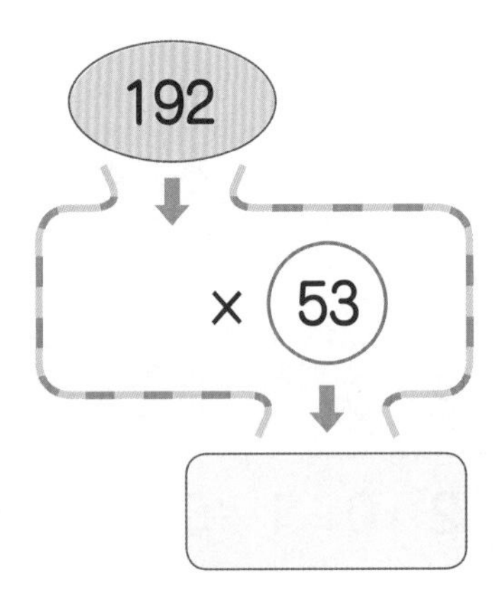

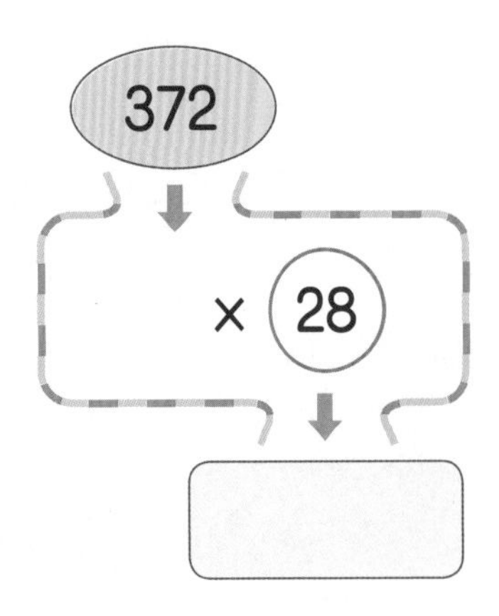

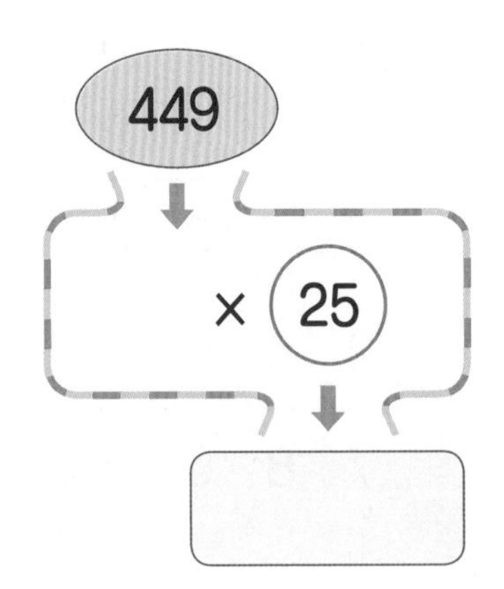

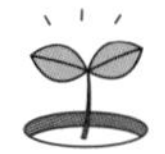

빈칸에 알맞은 수를 써넣으세요.

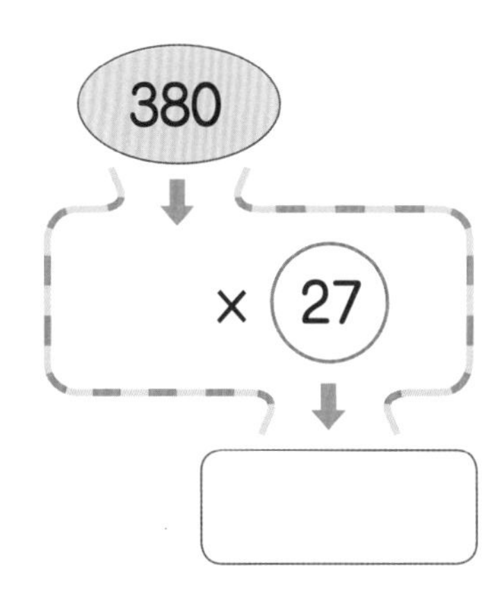

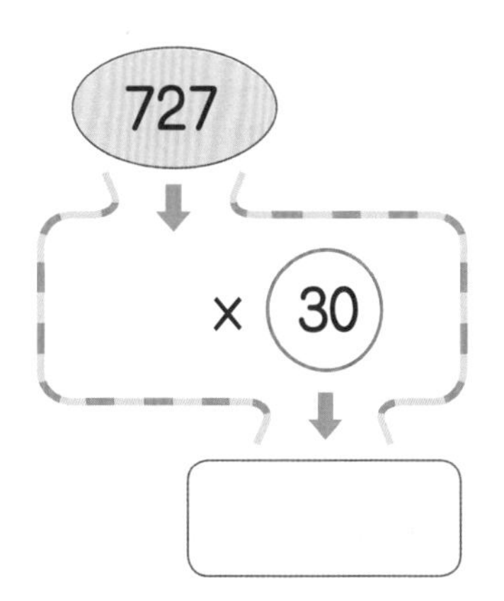

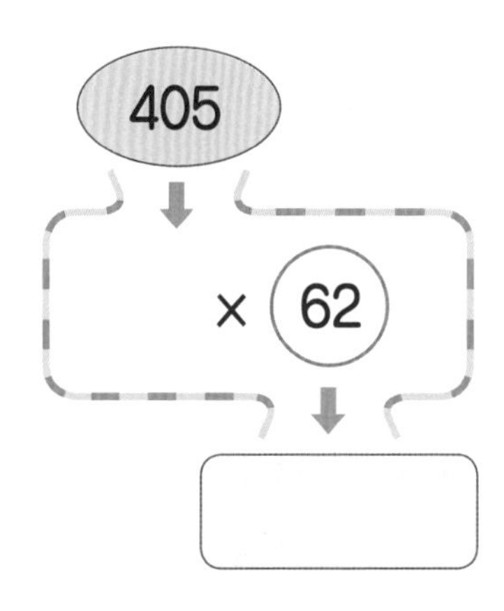

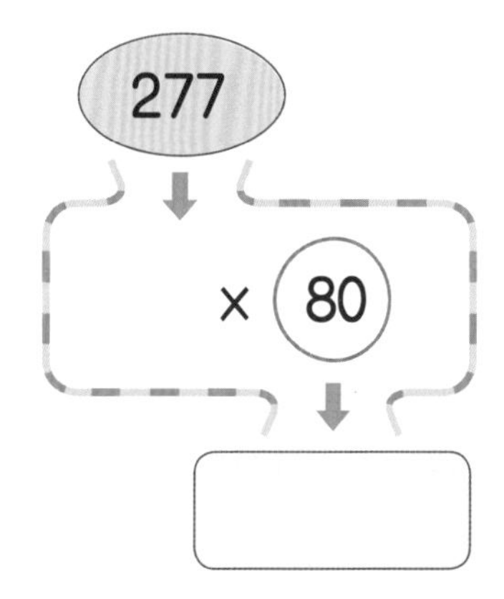

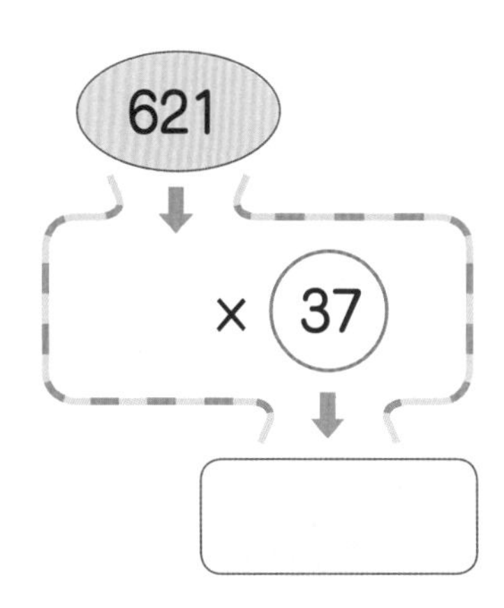

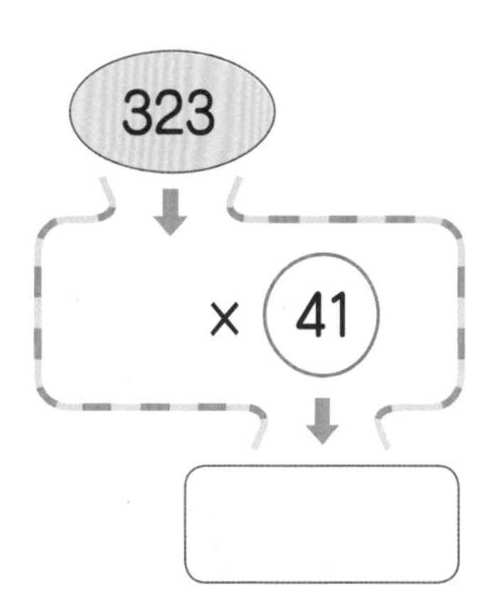

곱셈 퍼즐

 □ 안의 수가 양쪽 ○ 안의 두 수의 곱이 되도록 알맞은 수를 써넣으세요.

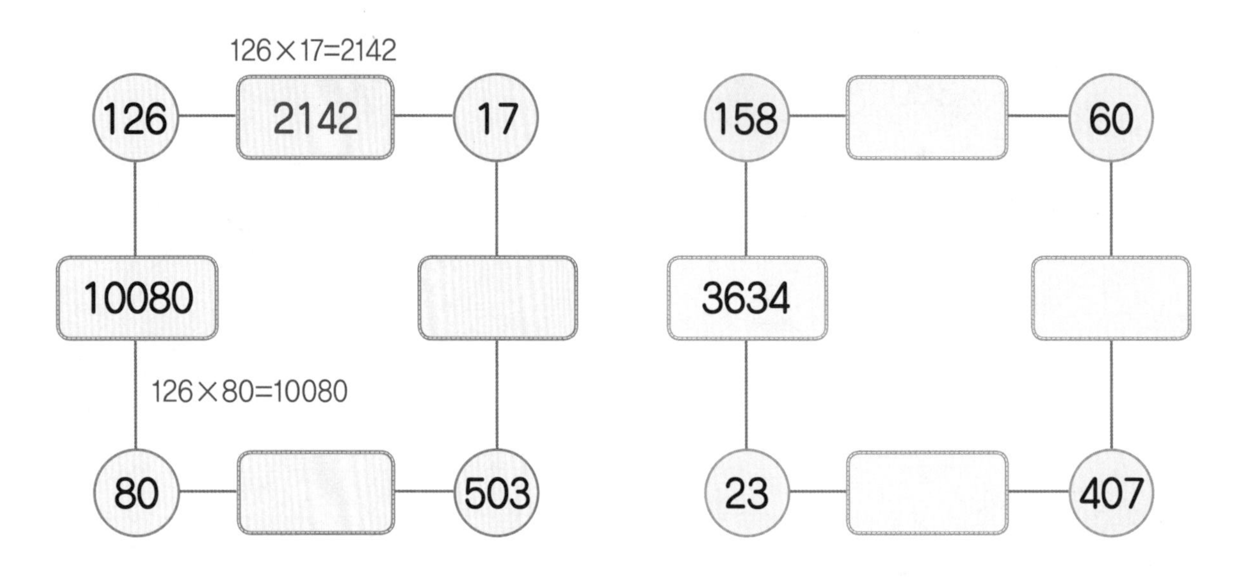

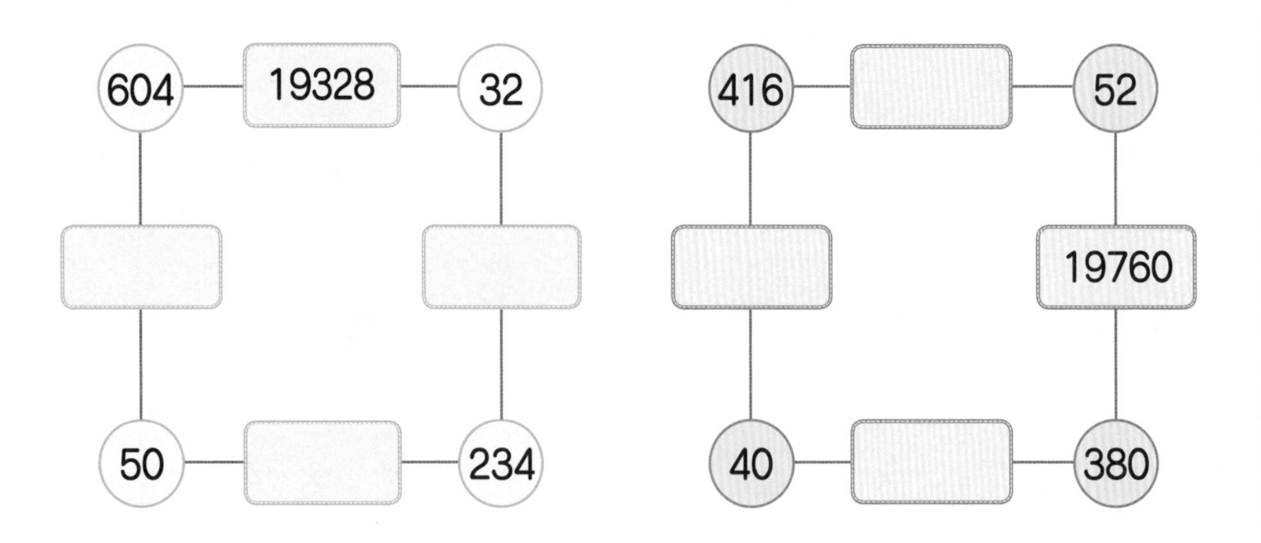

□ 안의 수가 양쪽 ○ 안의 두 수의 곱이 되도록 알맞은 수를 써넣으세요.

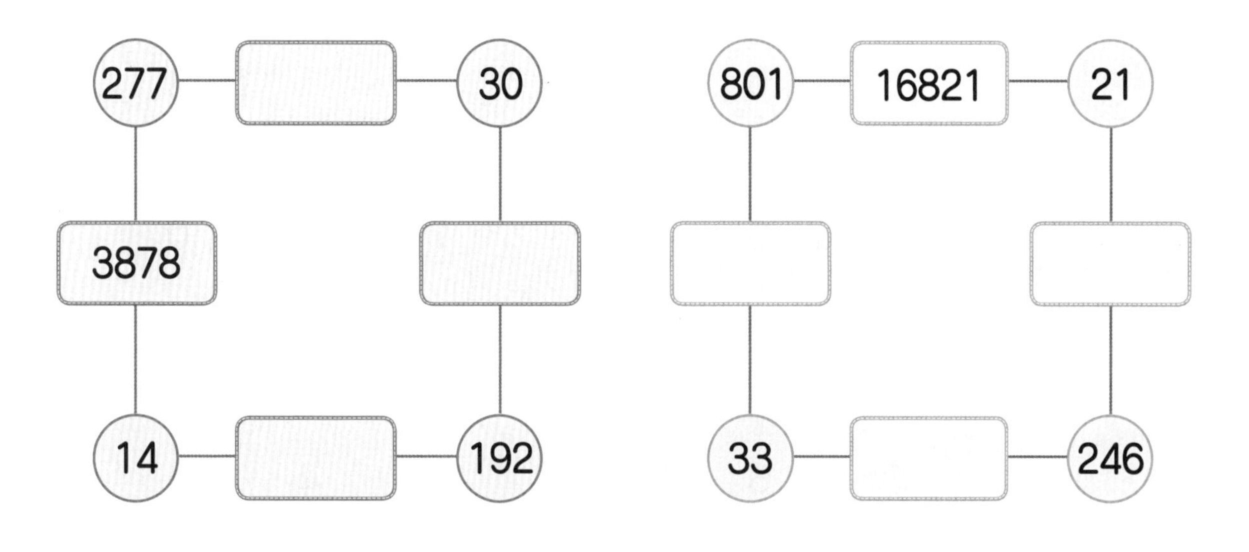

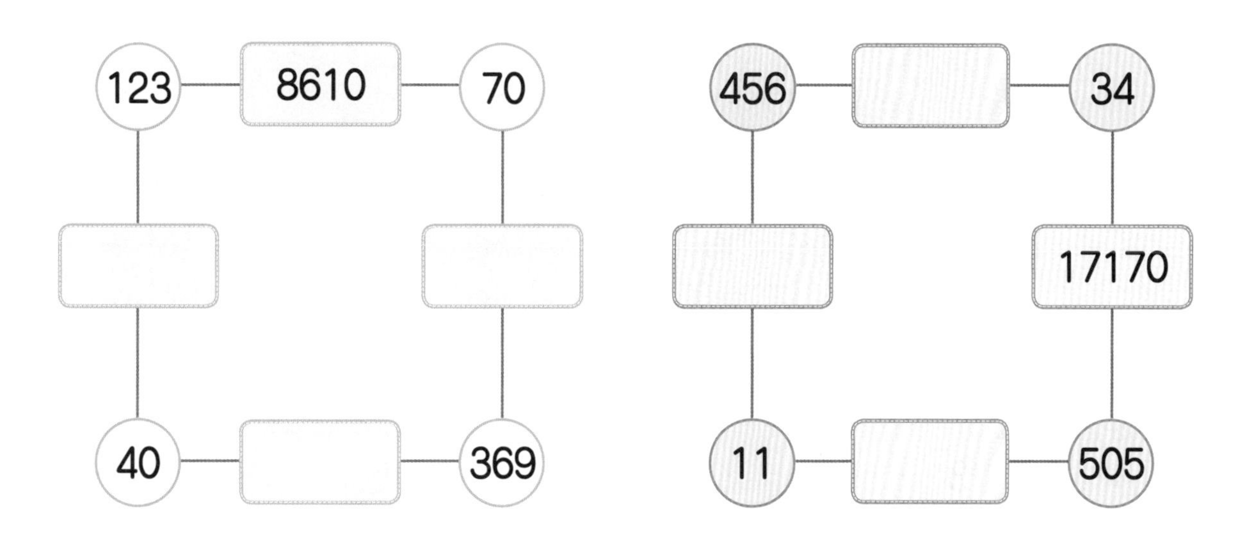

벌레 먹은 곱셈

빈칸에 알맞은 수를 써넣으세요.

		5	8	[0]
×			5	0
[2]	9	0	0	0

		□	1	3
×			4	□
1	6	5	2	0

		3	1	6
×			4	[7]
	2	2	1	2
1	2	[6]	4	
1	4	[8]	5	2

		4	□	5
×			4	8
	3	4	8	0
1	□	4	0	
2	□	8	8	0

		2	6	□
×			5	3
		8	0	1
1	3	□	5	
1	□	□	5	1

		5	2	□
×			3	4
	2	□	0	4
1	5	□	8	
1	7	□	8	4

빈칸에 알맞은 수를 써넣으세요.

		3	4	□
×			7	0
2	□	8	0	0

		□	8	9
×			3	□
1	1	6	7	0

		1	9	□
×			8	5
		9	8	0
1	□	□	8	
1	6	□	6	0

		5	7	6
×			3	□
	4	6	0	8
1	□	□	8	
2	□	□	8	8

		3	9	2
×			□	7
	2	□	4	4
3	□	3	6	
3	□	□	0	4

		9	2	8
×			5	□
	4	6	□	0
□	6	4	0	
□	1	0	□	0

 빈칸에 알맞은 수를 써넣으세요.

		□	7	5
×			4	□
3	5	0	0	0

		8	□	3
×			4	□
3	2	9	2	0

		1	□	7
×			8	□
	1	0	2	9
1	1	□	6	
1	2	□	8	9

		7	□	4
×			3	□
	3	5	2	0
2	1	□	2	
2	4	□	4	0

		4	□	3
×			6	□
	2	8	9	1
□	4	□	8	
2	7	□	7	1

		5	2	□
×			□	9
	4	□	□	1
1	0	5	8	
1	5	□	4	1

문장제

다음을 읽고 알맞은 곱셈식을 쓰고, 답을 구하세요.

정은이네 농장에서 토끼를 기르는 데 하루에 463개의 당근을 먹이로 준다고 합니다. 20일 동안 먹이로 준 당근은 모두 몇 개일까요?

식 : $463 \times 20 = 9260$

 개

어느 공장에서 장난감 인형을 한 개 만드는데 드는 돈은 635원입니다. 이 공장에서 장난감 인형을 17개 만드는데 드는 돈은 모두 얼마일까요?

식 :

 원

 다음을 읽고 알맞은 곱셈식을 쓰고, 답을 구하세요.

희주는 한 장에 270원인 색도화지를 한 묶음에 10장씩 2묶음과 낱개 7장을 샀습니다. 도화지 값은 모두 얼마일까요?

식 :

 원

공장에서 컴퓨터를 하루에 73대씩 생산한다고 합니다. 1년을 365일로 계산한다면, 이 공장에서 1년 동안 생산하는 컴퓨터는 모두 몇 대일까요?

식 :

 대

다음을 읽고 알맞은 곱셈식을 쓰고, 답을 구하세요.

테이프가 한 상자에 476개씩 들어 있습니다. 36상자에 들어 있는 테이프는 모두 몇 개일까요?

식 :

개

준희네 학교 학생들 240명은 일년 동안 각각 25권씩 책을 읽었습니다. 준희네 학교 학생들이 일년 동안 읽은 책은 모두 몇 권일까요?

식 :

권

경호는 한 권에 326원인 공책을 한 묶음에 10권씩 3묶음과 낱개 4권을 샀습니다. 공책 값은 모두 얼마일까요?

식 :

원

다음을 읽고 알맞은 곱셈식을 쓰고, 답을 구하세요.

승은이는 문방구에서 한 개에 570원 하는 가위를 23개 사려고 합니다. 승은이는 얼마를 내야할까요?

식 :

원

박물관 입장료는 1인당 855원입니다. 19명의 학생이 박물관에 입장하려면 내야 할 입장료는 모두 얼마일까요?

식 :

원

지혜네 할아버지는 오늘로 만 68세가 되셨습니다. 1년을 365일로 계산한다면, 지혜네 할아버지는 어제까지 며칠을 사신 셈일까요?

식 :

일

소마셈 C5 – 3주차

(네 자리 수) × (두 자리 수)

0으로 끝나는 두 수의 곱

다음과 같이 0으로 끝나는 두 수의 곱을 해 보세요.

200의 300배 ➡ 200 × 300 = 6 0 0 0 0

200의 3000배 ➡ 200 × 3000 = 6 0 0 0 0 0

30의 500배 ➡ 30 × 500 =

30의 5000배 ➡ 30 × 5000 =

400의 200배 ➡ 400 × 200 =

400의 2000배 ➡ 400 × 2000 =

0으로 끝나는 두 수의 곱은 0을 제외한 (몇)×(몇)을 계산한 다음, 그 곱에 곱하는 수의 0의 개수만큼 0을 붙이면 됩니다.

다음과 같이 0으로 끝나는 두 수의 곱을 해 보세요.

20의 130배 ➡ 20 × 130 = 2600

20의 1300배 ➡ 20 × 1300 = 26000

60의 140배 ➡ 60 × 140 =

60의 1400배 ➡ 60 × 1400 =

40의 360배 ➡ 40 × 360 =

40의 3600배 ➡ 40 × 3600 =

130의 700배 ➡ 130 × 700 =

130의 7000배 ➡ 130 × 7000 =

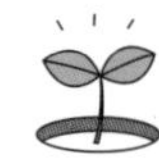

□ 안에 알맞은 수를 써넣으세요.

$70 \times 600 =$ 4 2 0 0 0

$30 \times 1300 =$ 3 9 0 0 0

$50 \times 300 =$ □

$30 \times 2600 =$ □

$400 \times 300 =$ □

$140 \times 300 =$ □

$20 \times 6000 =$ □

$230 \times 600 =$ □

$60 \times 720 =$ □

$80 \times 1200 =$ □

$300 \times 700 =$ □

$600 \times 3000 =$ □

(네 자리 수) × (몇십)

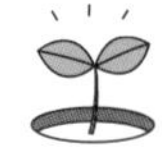

각 자리의 위치를 맞추어 빈칸에 알맞은 수를 써넣으세요.

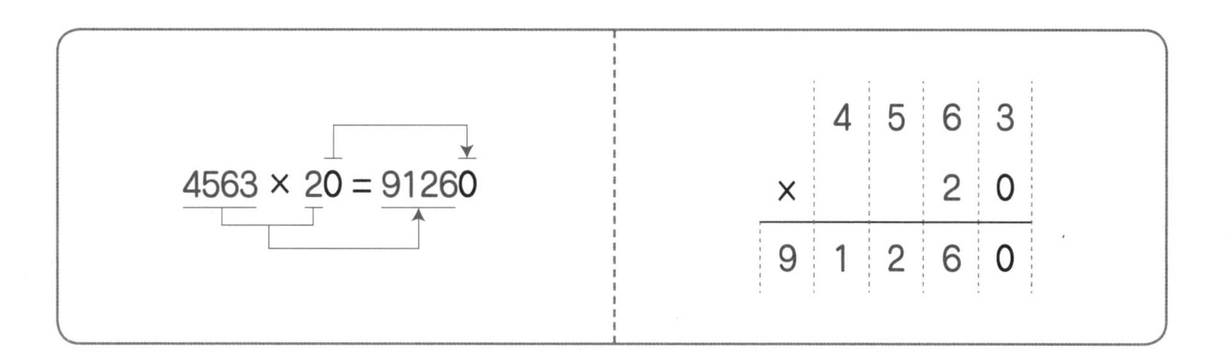

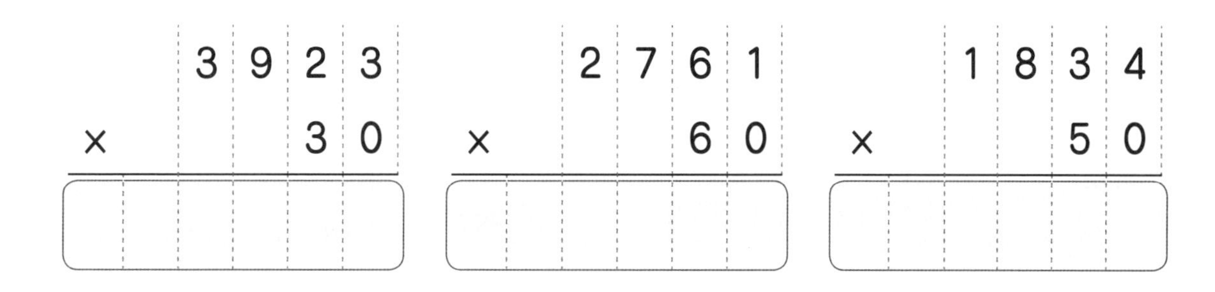

2553 × 70	5154 × 40	2762 × 60

1468 × 80	3257 × 30	4215 × 50

빈칸에 알맞은 수를 써넣으세요.

	3452
×	60
	207120

	2068
×	40

	4522
×	30

	1824
×	70

	3284
×	20

	4481
×	50

	6235
×	20

	5849
×	30

	2666
×	60

	3793
×	50

	2863
×	80

	6174
×	40

(네 자리 수)×(두 자리 수)

각 자리의 위치를 맞추어 빈칸에 알맞은 수를 써넣으세요.

$$\begin{array}{r} 2256 \\ \times \quad 38 \\ \hline 18048 \end{array} \Rightarrow \begin{array}{r} 2256 \\ \times \quad 38 \\ \hline 18048 \\ 6768 \end{array} \Rightarrow \begin{array}{r} 2256 \\ \times \quad 38 \\ \hline 18048 \\ 6768 \\ \hline 85728 \end{array}$$

$$\begin{array}{r} 3742 \\ \times \quad 26 \\ \hline \square \end{array} \Rightarrow \begin{array}{r} 3742 \\ \times \quad 26 \\ \hline \square \\ \square \end{array} \Rightarrow \begin{array}{r} 3742 \\ \times \quad 26 \\ \hline \square \\ \square \\ \hline \square \end{array}$$

$$\begin{array}{r} 5984 \\ \times \quad 35 \\ \hline \square \end{array} \Rightarrow \begin{array}{r} 5984 \\ \times \quad 35 \\ \hline \square \\ \square \end{array} \Rightarrow \begin{array}{r} 5984 \\ \times \quad 35 \\ \hline \square \\ \square \\ \hline \square \end{array}$$

빈칸에 알맞은 수를 써넣으세요.

$$\begin{array}{r} 4275 \\ \times \quad 16 \\ \hline 25650 \\ 4275 \\ \hline 68400 \end{array}$$

$$\begin{array}{r} 3927 \\ \times \quad 32 \\ \hline \square \\ \square \\ \hline \square \end{array}$$

$$\begin{array}{r} 1885 \\ \times \quad 43 \\ \hline \square \\ \square \\ \hline \square \end{array}$$

$$\begin{array}{r} 3557 \\ \times \quad 36 \\ \hline \square \\ \square \\ \hline \square \end{array}$$

$$\begin{array}{r} 4284 \\ \times \quad 27 \\ \hline \square \\ \square \\ \hline \square \end{array}$$

$$\begin{array}{r} 3358 \\ \times \quad 19 \\ \hline \square \\ \square \\ \hline \square \end{array}$$

$$\begin{array}{r} 4525 \\ \times \quad 22 \\ \hline \square \\ \square \\ \hline \square \end{array}$$

$$\begin{array}{r} 5674 \\ \times \quad 15 \\ \hline \square \\ \square \\ \hline \square \end{array}$$

$$\begin{array}{r} 2284 \\ \times \quad 36 \\ \hline \square \\ \square \\ \hline \square \end{array}$$

빈칸에 알맞은 수를 써넣으세요.

2468 × 37	3576 × 28	5572 × 51
4083 × 36	1786 × 47	6404 × 28
1596 × 49	4254 × 37	3846 × 19

세 수의 곱셈

세 수의 곱셈을 하는 방법을 알아보고, □ 안에 알맞은 수를 써넣으세요.

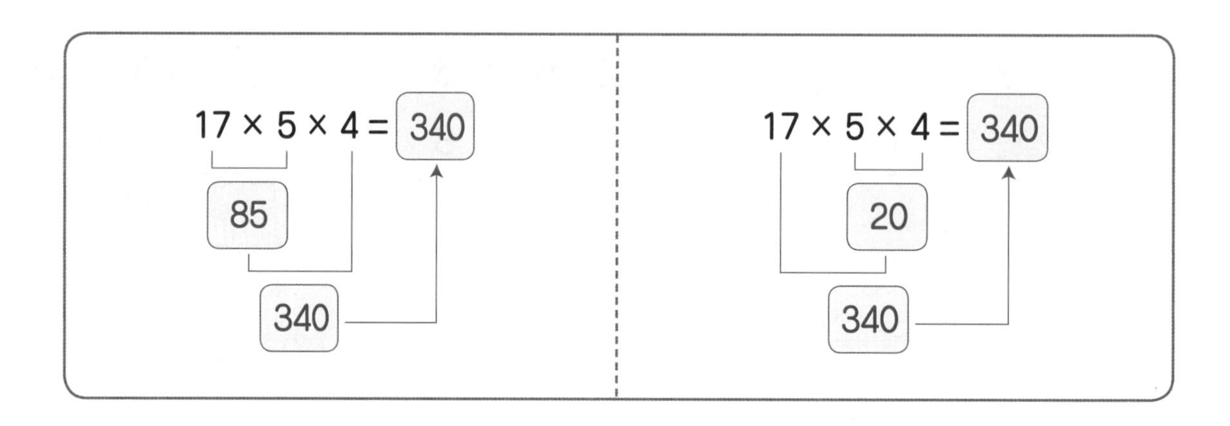

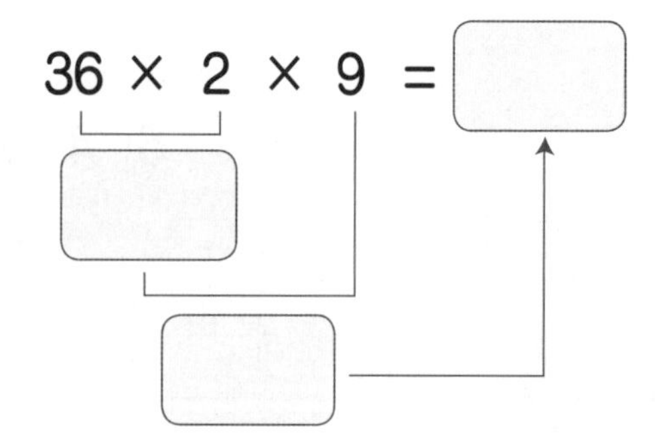

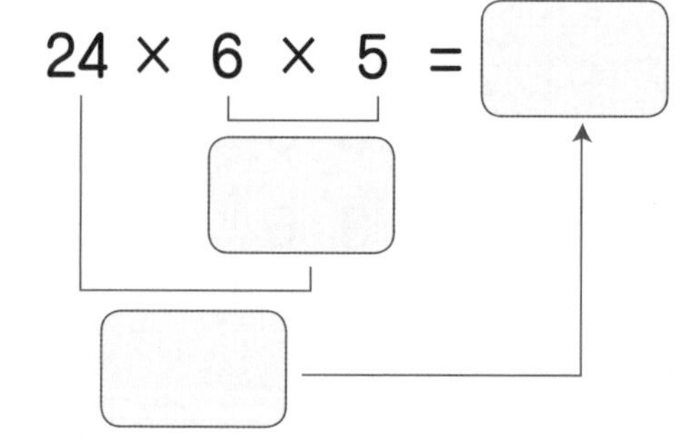

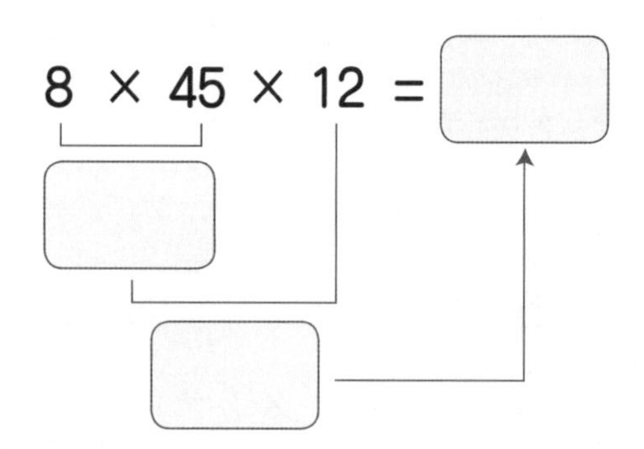

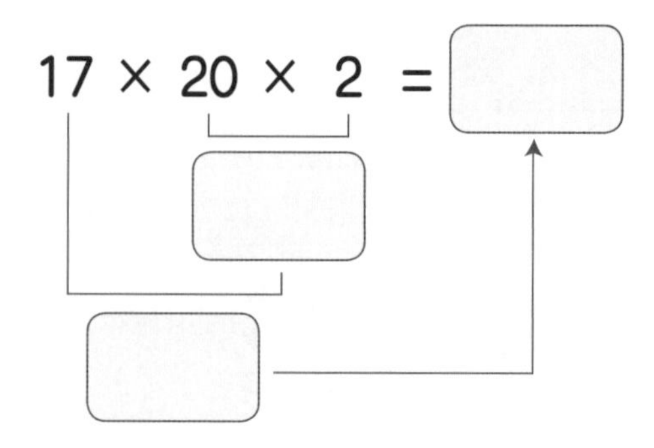

세 수의 곱셈은 순서를 바꾸어 곱해도 계산 결과가 같으므로 먼저 뒤의 두 수를 곱하고, 그 곱에 처음의 수를 곱하는 것이 편리할 수도 있습니다.

□ 안에 알맞은 수를 써넣으세요.

$6 \times 325 \times 3 =$ [1950] $\times 3 =$ [5850]

		6
×	3 2 5	
1 9 5 0		

→ 1 9 5 0 × 3 = 5 8 5 0

$4 \times 248 \times 5 =$ □ $\times 5 =$ □

4 × 2 4 8 = □ → □ × 5 = □

$6 \times 273 \times 8 =$ □ $\times 8 =$ □

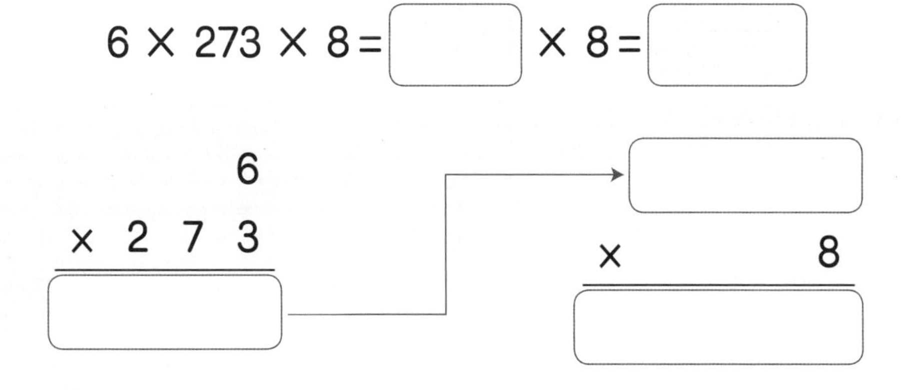

□ 안에 알맞은 수를 써넣으세요.

137 × 6 × 45 = 822 × 45 = 36990

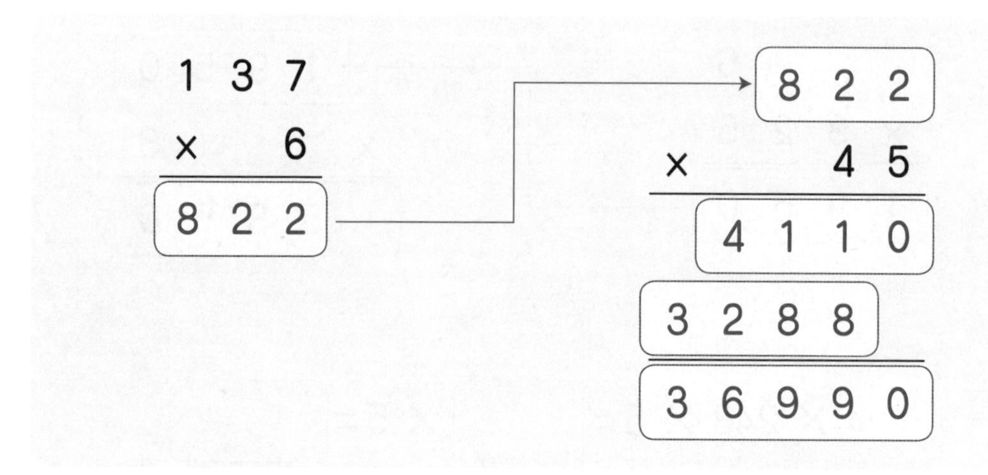

27 × 35 × 46 = □ × 46 = □

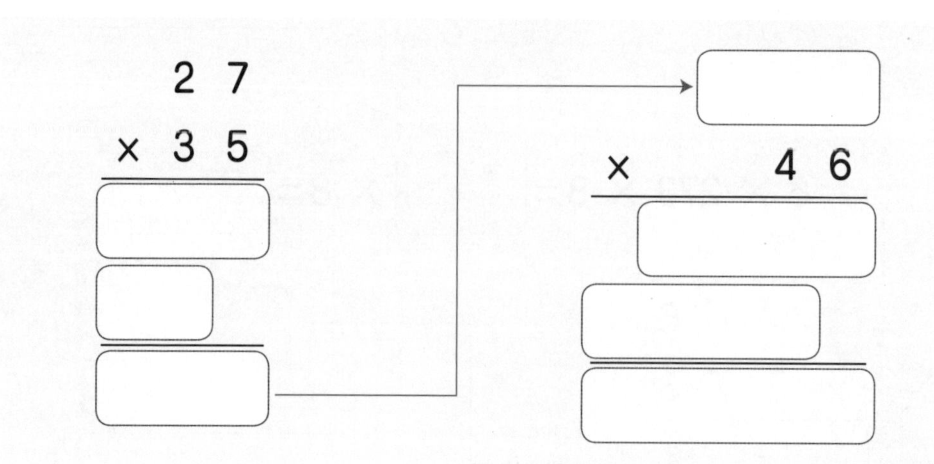

 □ 안에 알맞은 수를 써넣으세요.

$186 \times 7 \times 34 = \square \times 34 = \square$

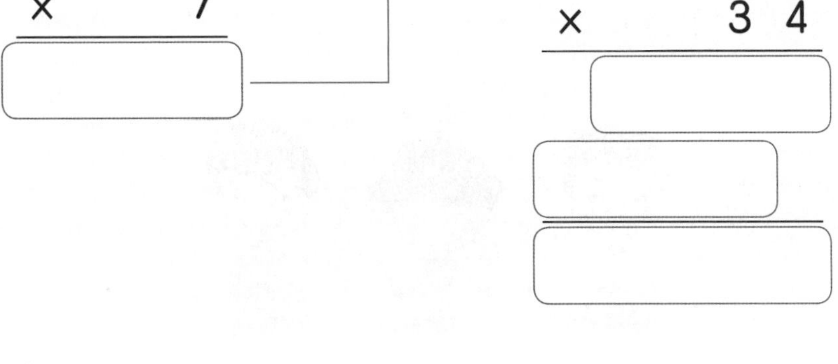

$47 \times 28 \times 52 = \square \times 52 = \square$

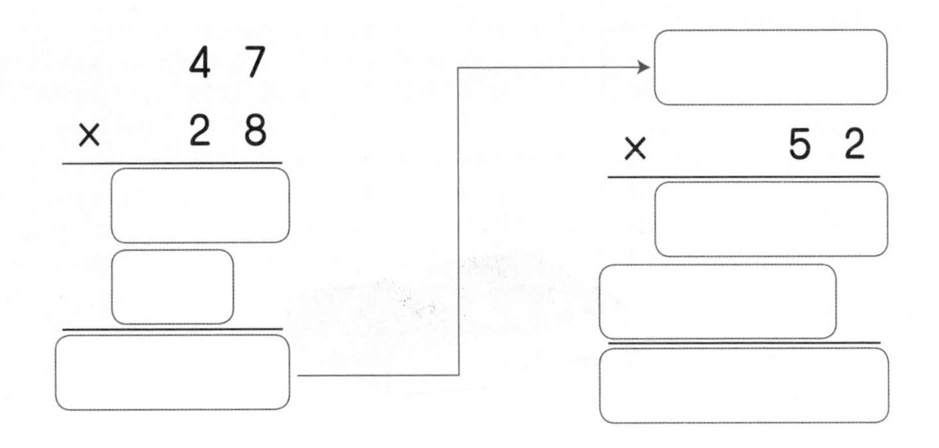

문장제

다음을 읽고 알맞은 곱셈식을 쓰고, 답을 구하세요.

옷 가게에서 티셔츠 한 장은 1564원입니다. 선주네 반 친구들 35명이 단체로 구입하여 함께 맞춰 입기로 했습니다. 티셔츠 값은 모두 얼마일까요?

식 : $1564 \times 35 = 54740$

 원

현지는 6명의 친구들과 각자 동화책을 하루에 27쪽씩 일주일 동안 읽기로 했습니다. 현지와 친구들이 일주일 동안 읽을 동화책은 모두 몇 쪽일까요?

식 :

 쪽

다음을 읽고 알맞은 곱셈식을 쓰고, 답을 구하세요.

시험지를 한 시간에 2254장 인쇄할 수 있는 기계가 있습니다. 오늘 이 기계로 오전에는 4시간 동안 인쇄를 하고, 오후에는 6시간 동안 인쇄를 했습니다. 오늘 인쇄한 시험지는 모두 몇 장일까요?

식 :

 장

자전거를 한 대 팔면 이익이 5320원입니다. 자전거 38대를 팔면 이익은 모두 얼마일까요?

식 :

 원

다음을 읽고 알맞은 곱셈식을 쓰고, 답을 구하세요.

형민이네 학교 학생은 1347명입니다. 형민이네 학교에서는 학생들에게 공책을 20권씩 나누어 주려고 합니다. 필요한 공책은 모두 몇 권일까요?

식 :

권

어느 공장에서 모자 한 개를 만드는 데 2631원이 듭니다. 모자 46개를 만드는 데 드는 비용은 모두 얼마일까요?

식 :

원

농장에 암탉이 34마리 있습니다. 암탉 한 마리가 일주일에 달걀을 5개씩 낳는다고 합니다. 이 암탉들이 25주 동안 달걀을 낳았다면 달걀은 모두 몇 개일까요?

식 :

개

다음을 읽고 알맞은 곱셈식을 쓰고, 답을 구하세요.

하은이네 과수원에서 수확한 자두는 한 상자에 5340원에 팝니다. 어제는 5상자를 팔고, 오늘은 7상자를 팔았습니다. 어제와 오늘 판매한 자두는 모두 얼마일까요?

식 :

원

정현이는 한 자루에 195원 하는 연필을 8타 샀습니다. 정현이가 낸 연필의 값은 얼마일까요?

식 :

원

과일 가게에서 멜론 한 개의 값은 4780원입니다. 이 과일 가게에서 판매하는 멜론 24개의 값은 얼마일까요?

식 :

원

Note

소마셈 C5 – 4주차

곱셈식 만들기

목표수 만들기

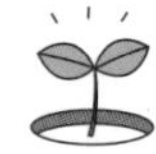

수 카드 2장을 골라 곱셈식을 완성하세요.(단, 큰 수를 왼쪽에 씁니다.)

27 × 3 = 81

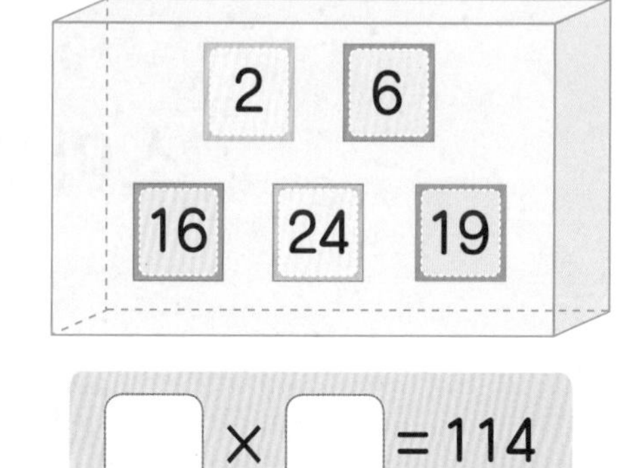

☐ × ☐ = 114

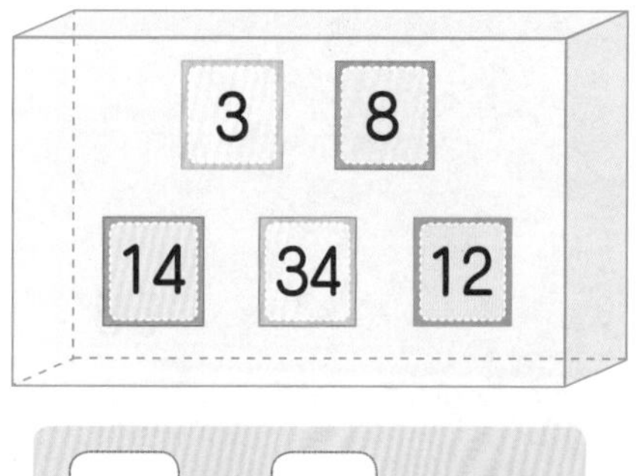

☐ × ☐ = 102

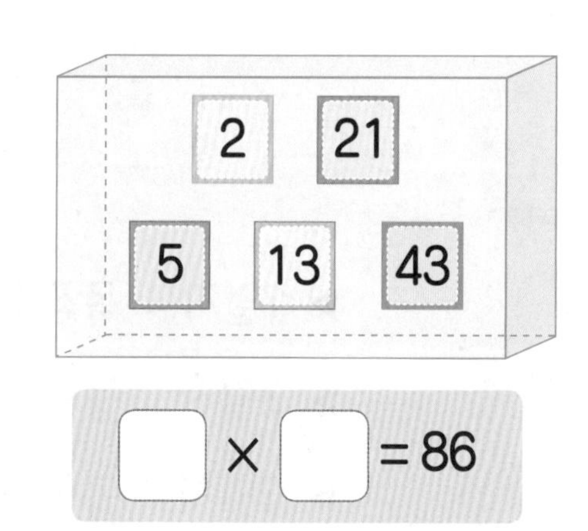

☐ × ☐ = 86

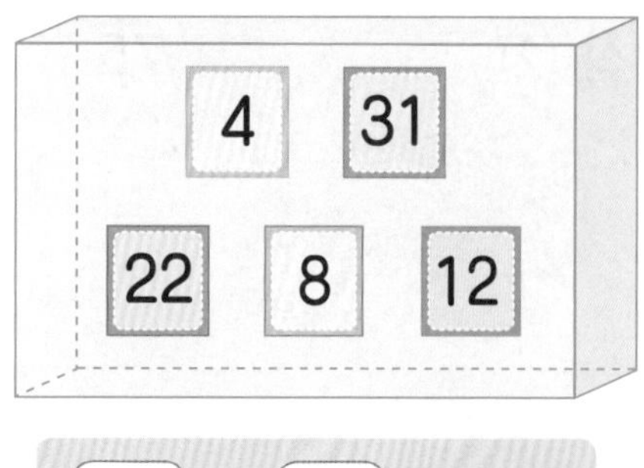

☐ × ☐ = 176

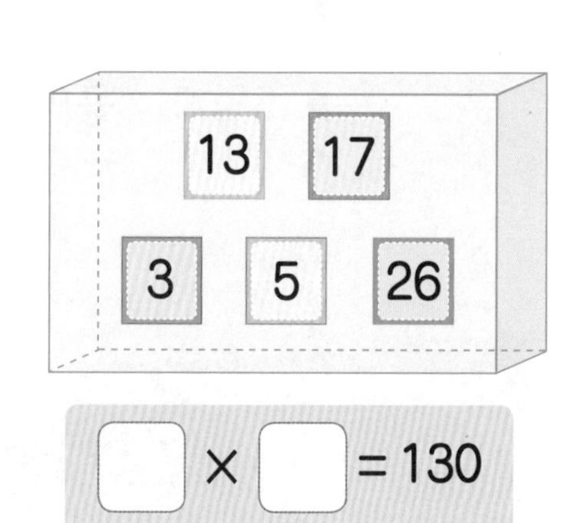

☐ × ☐ = 130

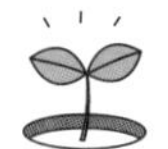
수 카드 2장을 골라 곱셈식을 완성하세요.(단, 큰 수를 왼쪽에 씁니다.)

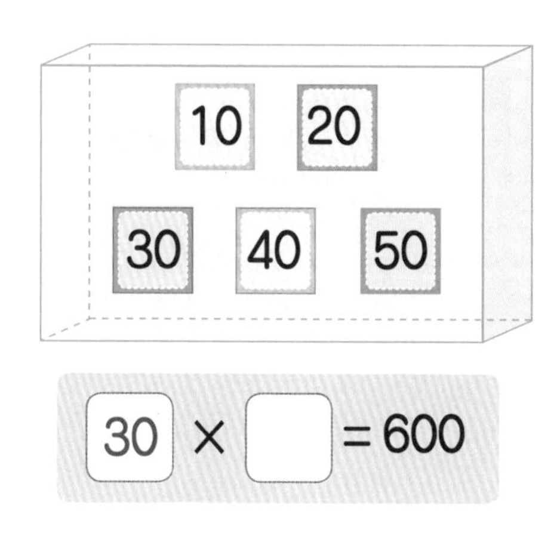

30 × ☐ = 600

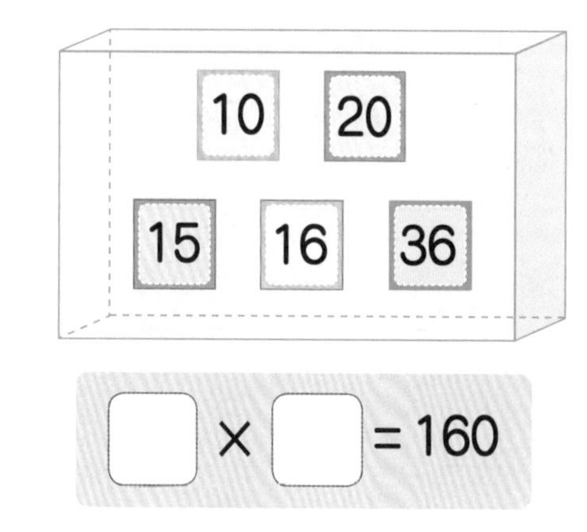

☐ × ☐ = 160

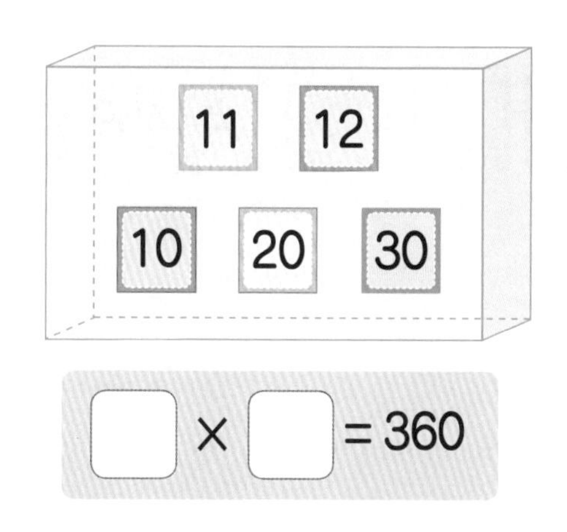

☐ × ☐ = 360

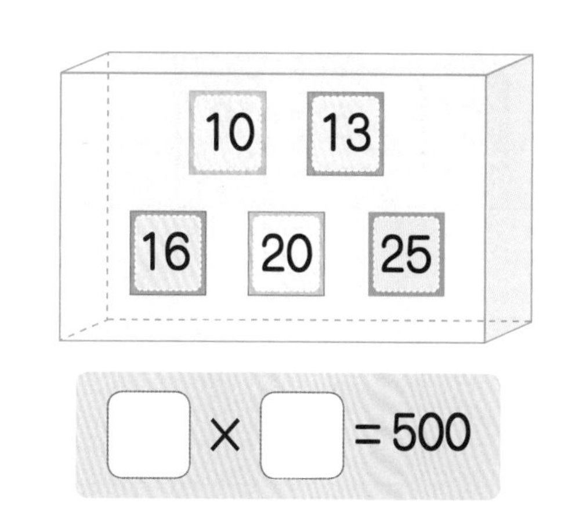

☐ × ☐ = 500

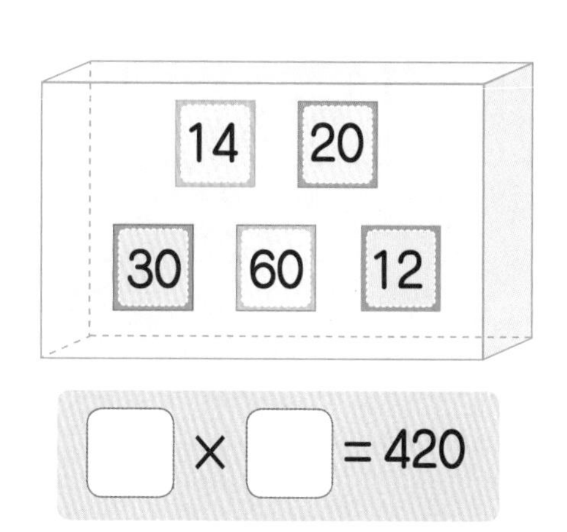

☐ × ☐ = 420

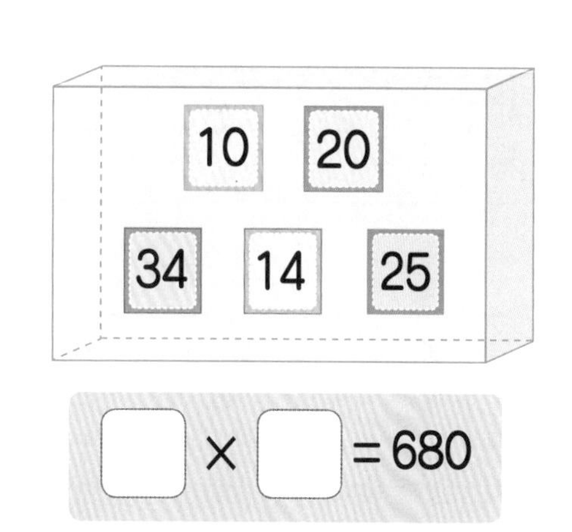

☐ × ☐ = 680

숫자 카드를 모두 사용하여 곱셈식을 완성하세요.

숫자 카드	곱셈식
3 6 7	6 7 × 3 = 201
2 4 8	□□ × □ = 112
1 5 9	□□ × □ = 459
2 3 6	□□ × □ = 186
1 2 5 6	□□□ × □ = 330
1 3 4 7	□□□ × □ = 441

곱이 가장 큰 식 (1)

(두 자리 수)×(한 자리 수)에서 숫자 카드를 한번씩 사용하여 곱셈식을 만들 때, 곱을 가장 크게 만드는 방법을 알아보세요.

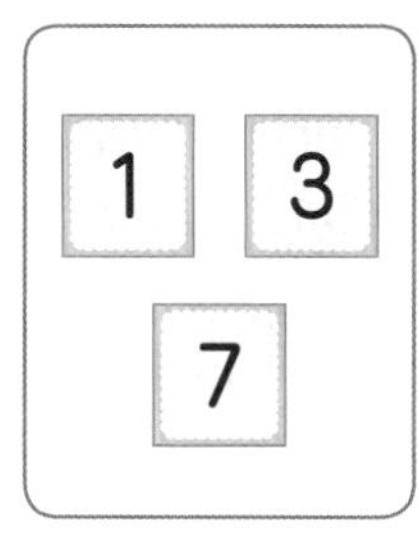

(1) 곱을 가장 크게 만들려면 색칠된 칸에 들어가야 할 수는 무엇인지 써 보세요.

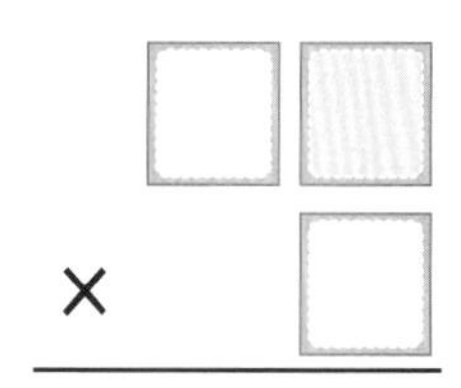

(2) 남은 수를 넣어서 만들 수 있는 두 가지 곱셈식을 계산하여 곱의 크기를 비교해 보세요.

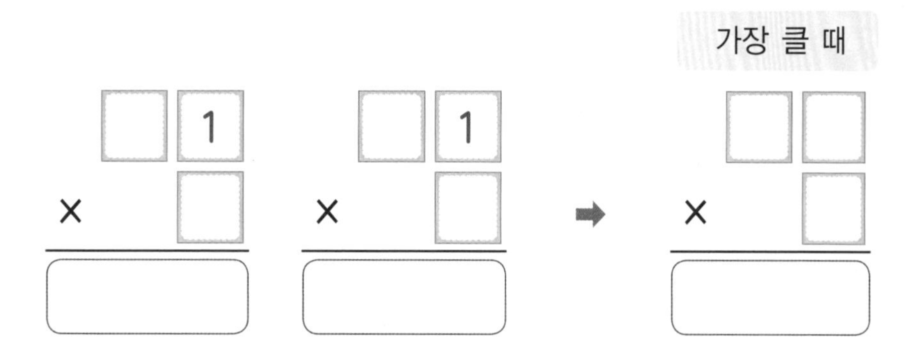

숫자 카드를 한번씩 사용하여 만든 곱셈식 중에서 곱이 가장 클 때의 값을 구해보세요.

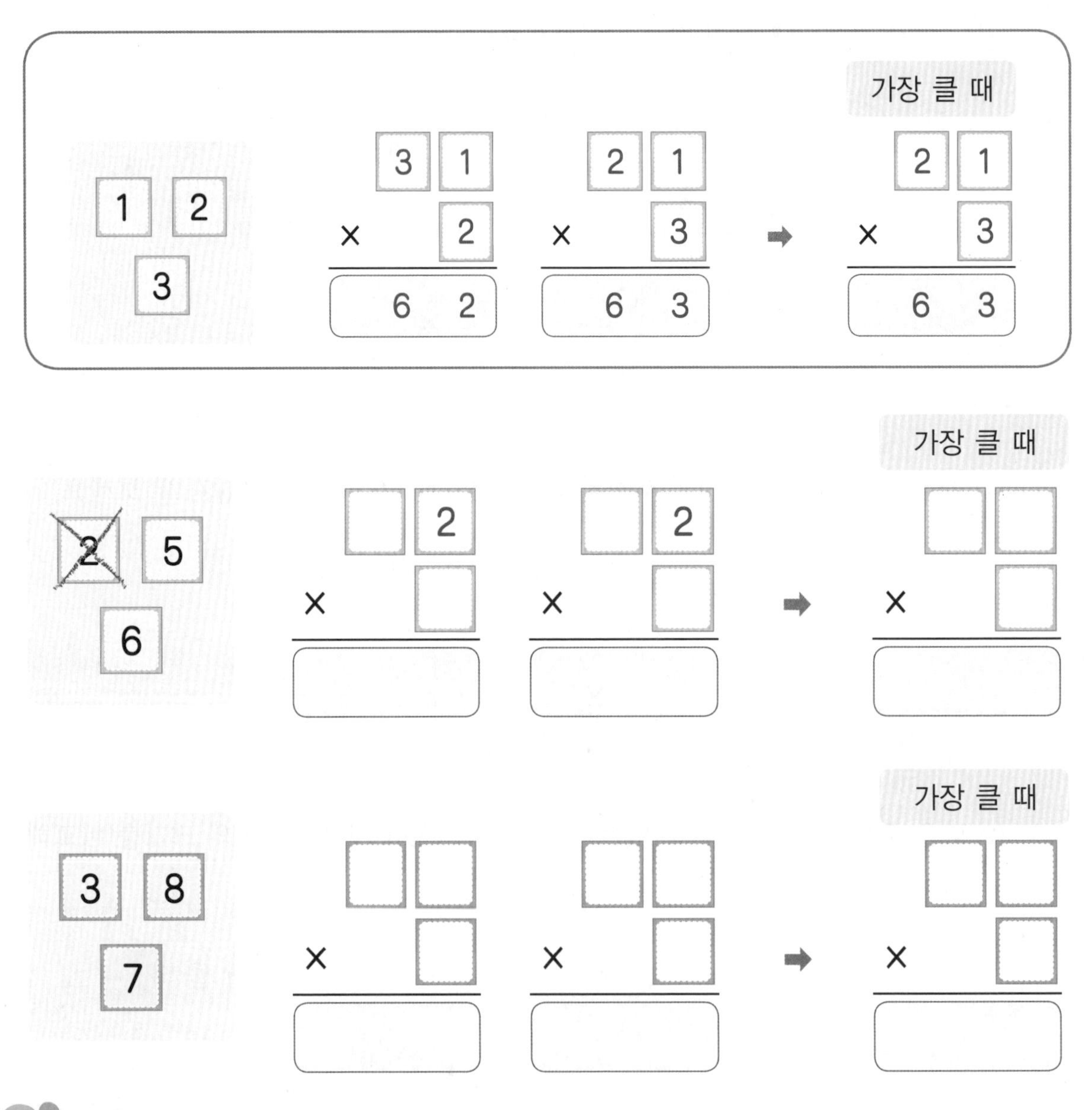

TIP

(두 자리 수)×(한 자리 수)에서 곱을 가장 크게 만들려면, 두 자리 수에서 십의 자리 수와 한 자리 수의 곱이 가장 커야 합니다. 이때 만들 수 있는 두 가지 경우를 비교해 보면, 곱하는 한 자리 수에 가장 큰 수가 올 때 곱이 가장 커짐을 알 수 있습니다.

숫자 카드를 한번씩 사용하여 곱이 가장 큰 때의 값을 구해보세요.

숫자 카드: ~~1~~, 4, 8

가장 큰 때

□ 1
× □

숫자 카드: ~~2~~, 3, 4

가장 큰 때

□ 2
× □

숫자 카드: 2, 4, 9

가장 큰 때

□ □
× □

숫자 카드: 3, 1, 6

가장 큰 때

□ □
× □

숫자 카드: 4, 3, 7, 5

가장 큰 때

□ □
× □

숫자 카드: 5, 9, 6, 8

가장 큰 때

□ □
× □

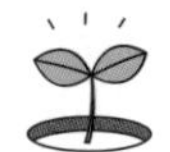
(세 자리 수)×(한 자리 수)에서 숫자 카드를 한번씩 사용하여 곱셈식을 만들 때, 곱을 가장 크게 만드는 방법을 알아보세요.

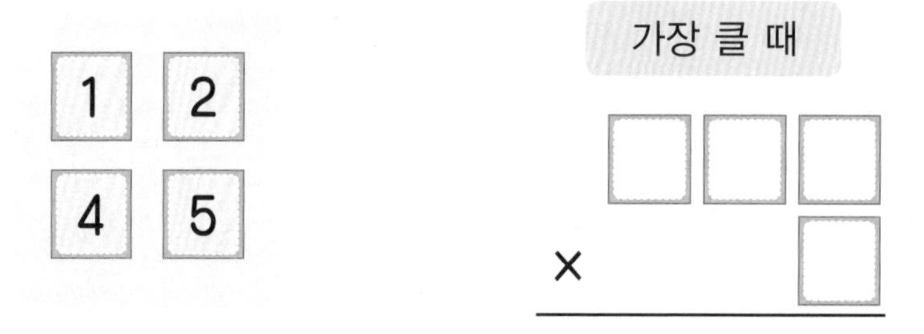

(1) 곱을 가장 크게 만들려면 색칠된 칸에 들어가야 할 수는 무엇인지 써 보세요.

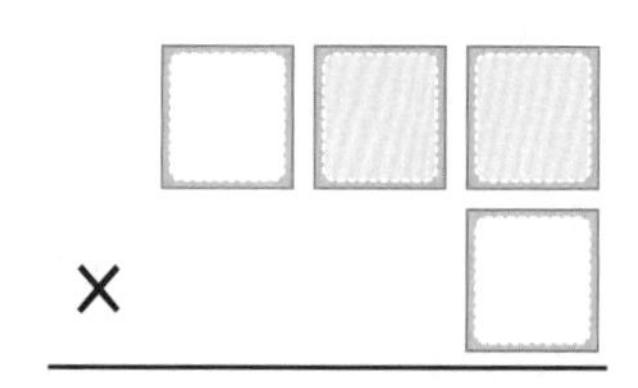

(2) 남은 수를 넣어서 만들 수 있는 두 가지 곱셈식을 계산하여 곱의 크기를 비교해 보세요.

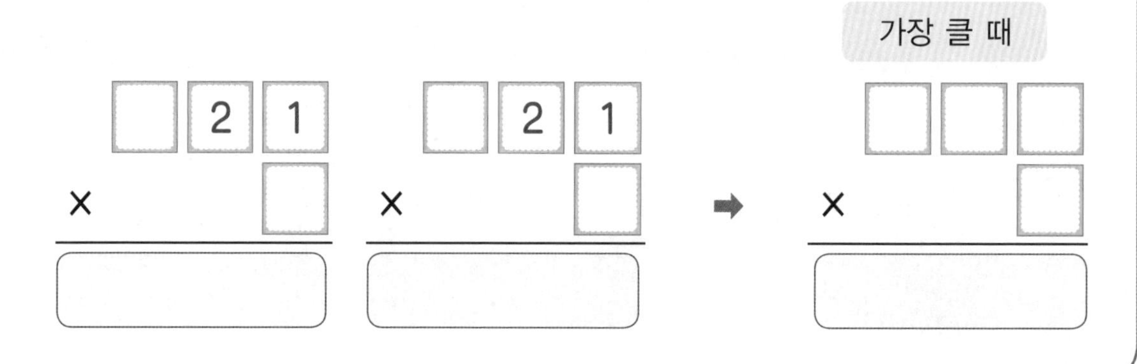

 숫자 카드를 한번씩 사용하여 만든 곱셈식 중에서 곱이 가장 클 때의 값을 구해보세요.

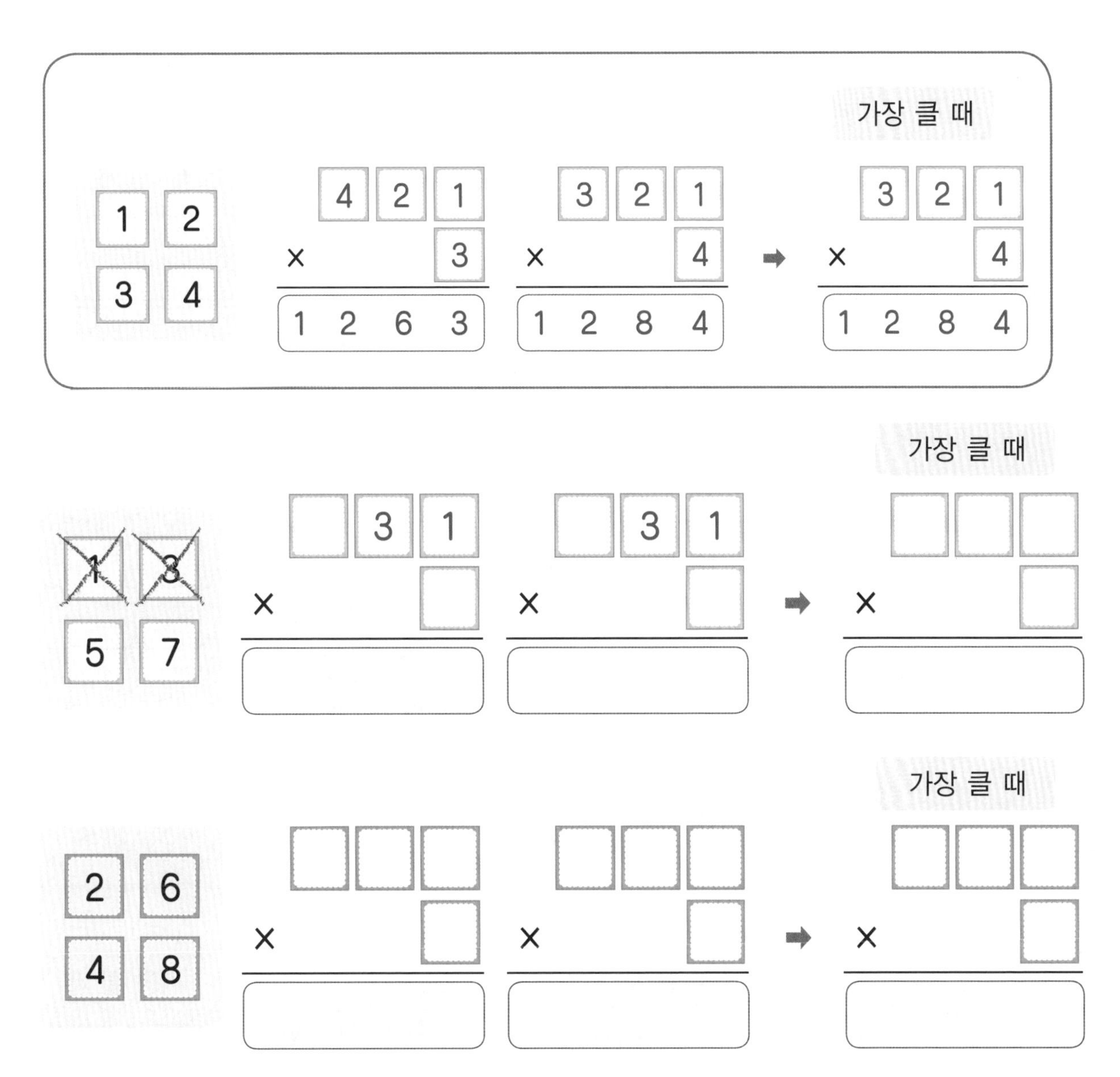

(세 자리 수)×(한 자리 수)에서 곱을 가장 크게 만들려면, 세 자리 수에서 백의 자리 수와 한 자리 수의 곱이 가장 커야 합니다. 이때 만들 수 있는 두 가지 경우를 비교해 보면, 곱하는 한 자리 수에 가장 큰 수가 올 때 곱이 가장 커짐을 알 수 있습니다.

숫자 카드를 한번씩 사용하여 곱이 가장 클 때의 값을 구해보세요.

숫자 카드: ~~1~~ ~~2~~ 3 7

가장 클 때

$$\begin{array}{r} \square\,2\,1 \\ \times\quad\ \square \\ \hline \end{array}$$

숫자 카드: ~~2~~ ~~3~~ 4 5

가장 클 때

$$\begin{array}{r} \square\,3\,2 \\ \times\quad\ \square \\ \hline \end{array}$$

숫자 카드: 2 1 6 9

가장 클 때

$$\begin{array}{r} \square\,\square\,\square \\ \times\quad\ \square \\ \hline \end{array}$$

숫자 카드: 2 4 5 8

가장 클 때

$$\begin{array}{r} \square\,\square\,\square \\ \times\quad\ \square \\ \hline \end{array}$$

숫자 카드: 3 4 6 7 5

가장 클 때

$$\begin{array}{r} \square\,\square\,\square \\ \times\quad\ \square \\ \hline \end{array}$$

숫자 카드: 5 7 9 8 6

가장 클 때

$$\begin{array}{r} \square\,\square\,\square \\ \times\quad\ \square \\ \hline \end{array}$$

곱이 가장 큰 식 (2)

(두 자리 수)×(두 자리 수)에서 숫자 카드를 한번씩 사용하여 곱셈식을 만들 때, 곱을 가장 크게 만드는 방법을 알아보세요.

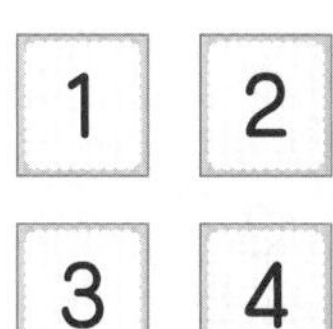

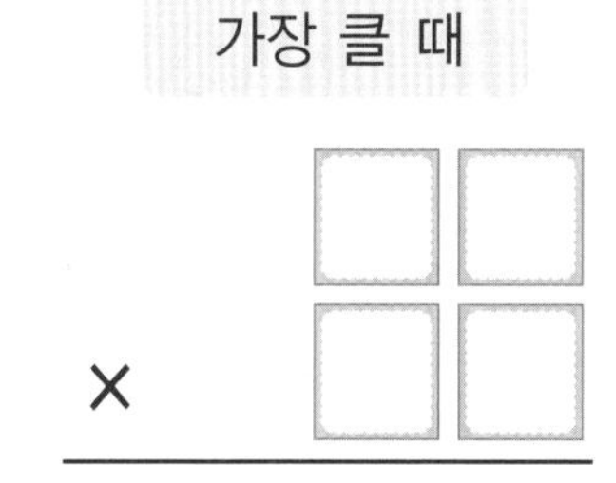

(1) 곱을 가장 크게 만들려면 색칠된 칸에 들어가야 할 수는 무엇인지 써 보세요. (단, 큰 수를 위쪽에 씁니다.)

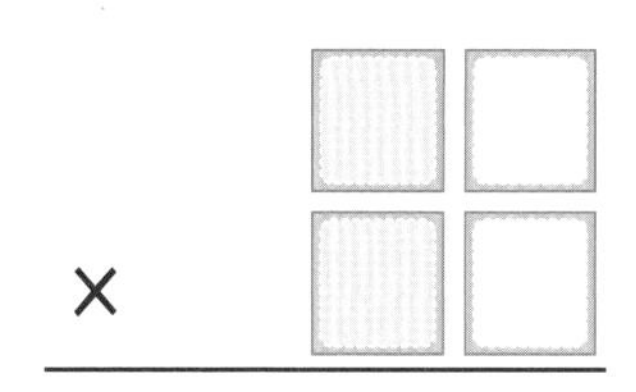

(2) 남은 수를 넣어서 만들 수 있는 두 가지 곱셈식을 계산하여 곱의 크기를 비교해 보세요.

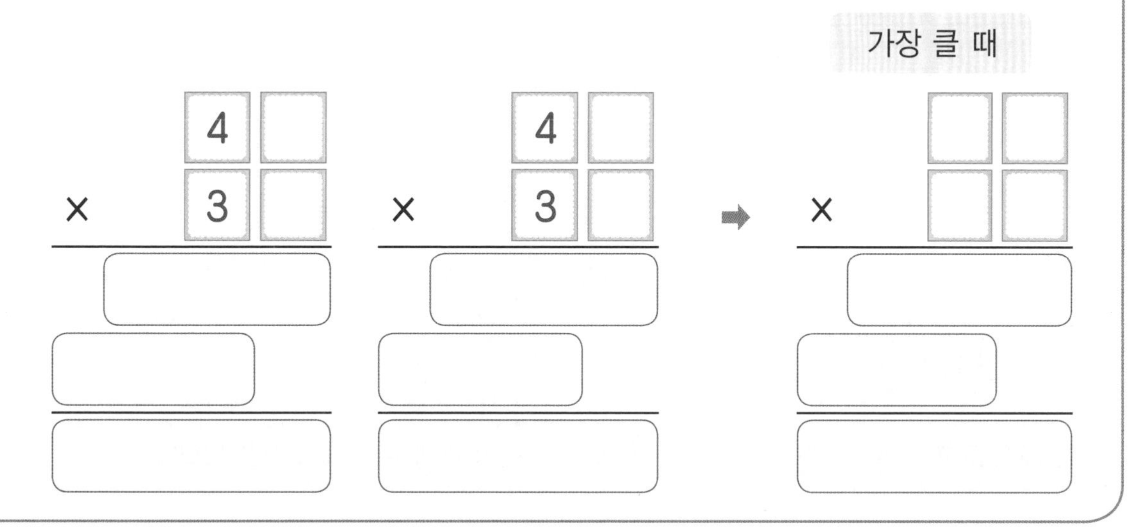

 숫자 카드를 한번씩 사용하여 만든 곱셈식 중에서 곱이 가장 클 때의 값을 구해보세요.

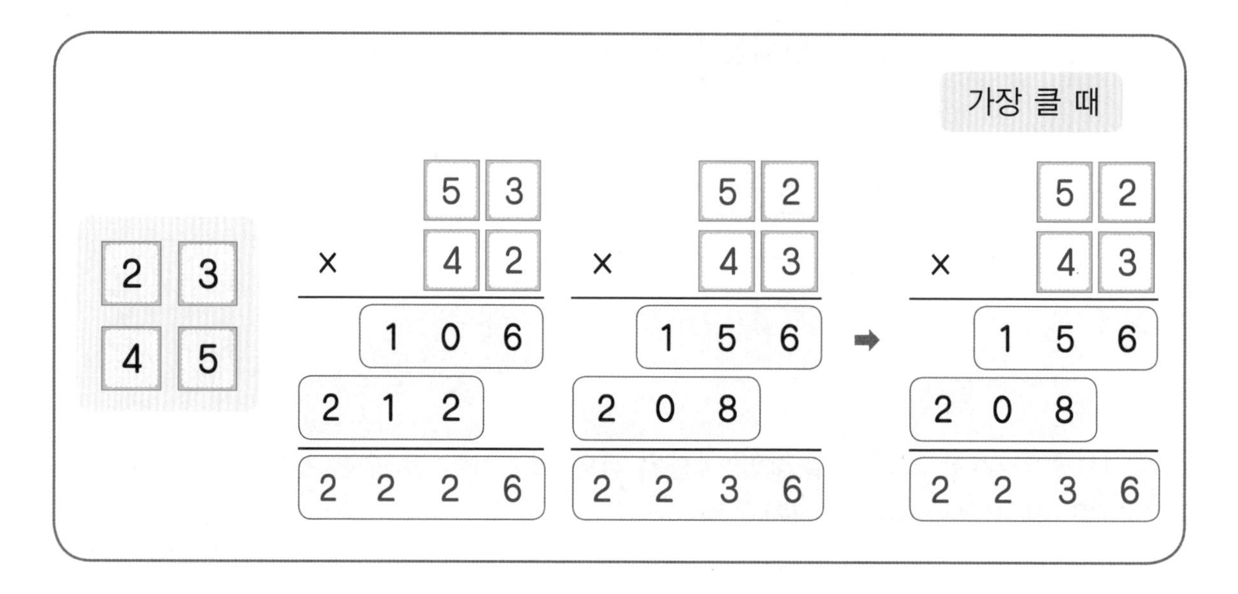

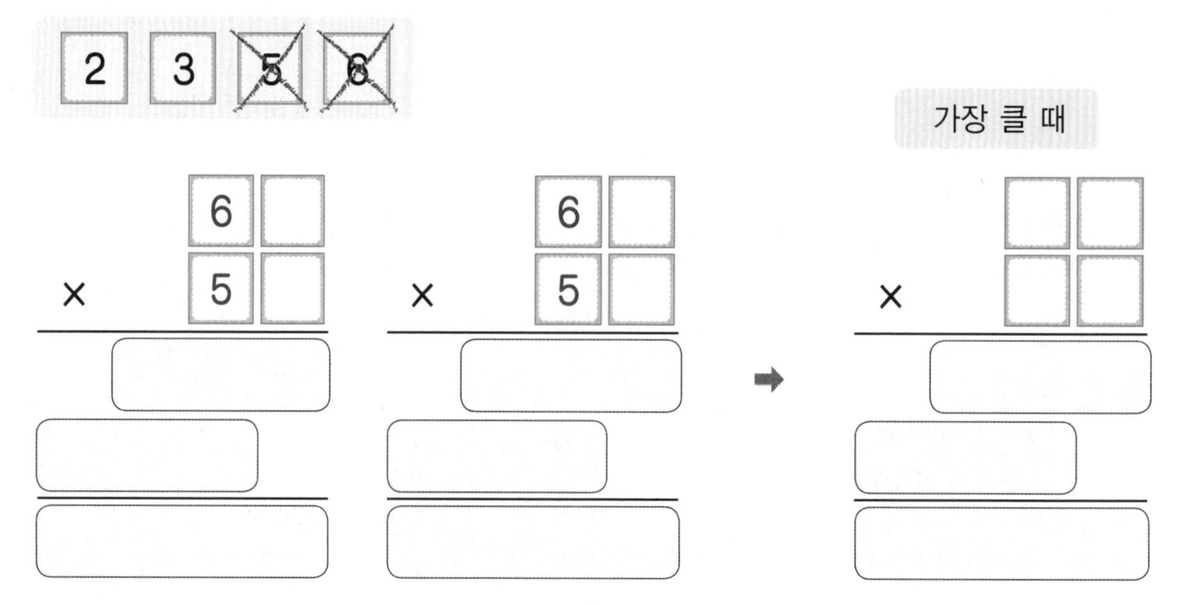

TIP

(두 자리 수)×(두 자리 수)에서 곱을 가장 크게 만들려면, 네 숫자 중 큰 두 숫자가 십의 자리에 오고, 다음 큰 숫자는 가장 큰 숫자와 곱해질 수 있도록 배치하면 됩니다.

숫자 카드를 한번씩 사용하여 곱이 가장 클 때의 값을 구해보세요. (단, 큰 수를 위쪽에 씁니다.)

가장 클 때

1 3 ~~4~~ ~~6~~

6 □
× 4 □

가장 클 때

2 4 6 7

×

가장 클 때

2 6 8 5

×

가장 클 때

1 7 9 5

×

숫자 카드를 한번씩 사용하여 곱이 가장 큰 때의 값을 구해보세요. (단, 큰 수를 위쪽에 씁니다.)

가장 클 때

숫자 카드: 1, 4, 5, ~~6~~, ~~8~~

	8	□
×	6	□

가장 클 때

숫자 카드: 1, 4, 5, 3, 9

	□	□
×	□	□

가장 클 때

숫자 카드: 2, 4, 3, 5, 6

	□	□
×	□	□

가장 클 때

숫자 카드: 1, 6, 2, 5, 8

	□	□
×	□	□

곱이 가장 작은 식 (1)

(두 자리 수)×(한 자리 수)에서 숫자 카드를 한번씩 사용하여 곱셈식을 만들 때, 곱을 가장 작게 만드는 방법을 알아보세요.

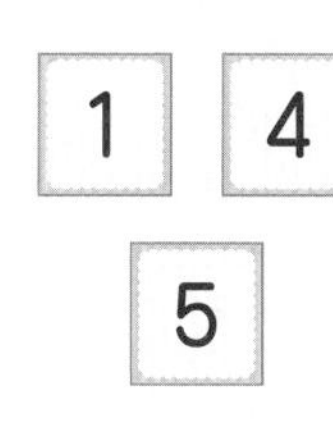

(1) 곱을 가장 작게 만들려면 색칠된 칸에 들어가야 할 수는 무엇인지 써 보세요.

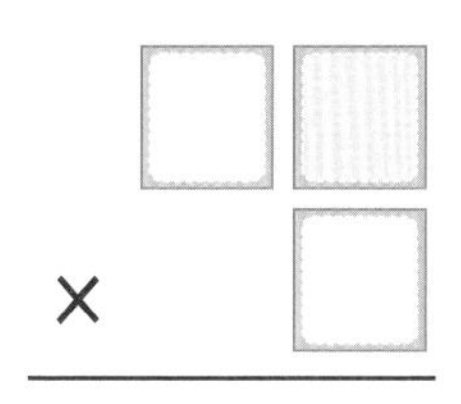

(2) 남은 수를 넣어서 만들 수 있는 두 가지 곱셈식을 계산하여 곱의 크기를 비교해 보세요.

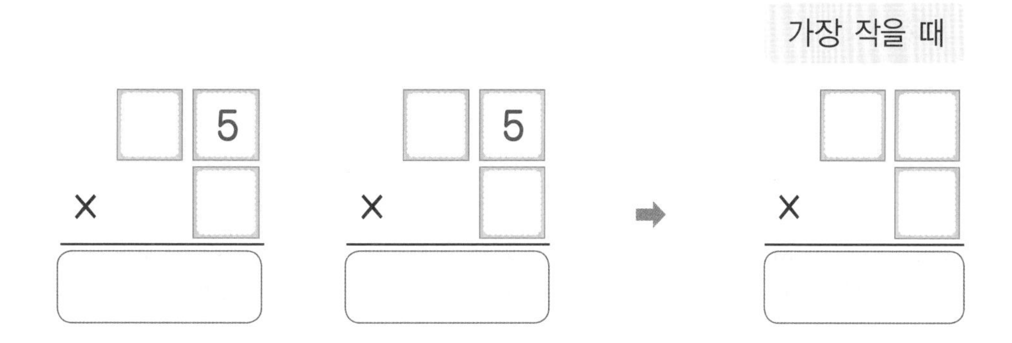

숫자 카드를 한번씩 사용하여 만든 곱셈식 중에서 곱이 가장 작을 때의 값을 구해보세요.

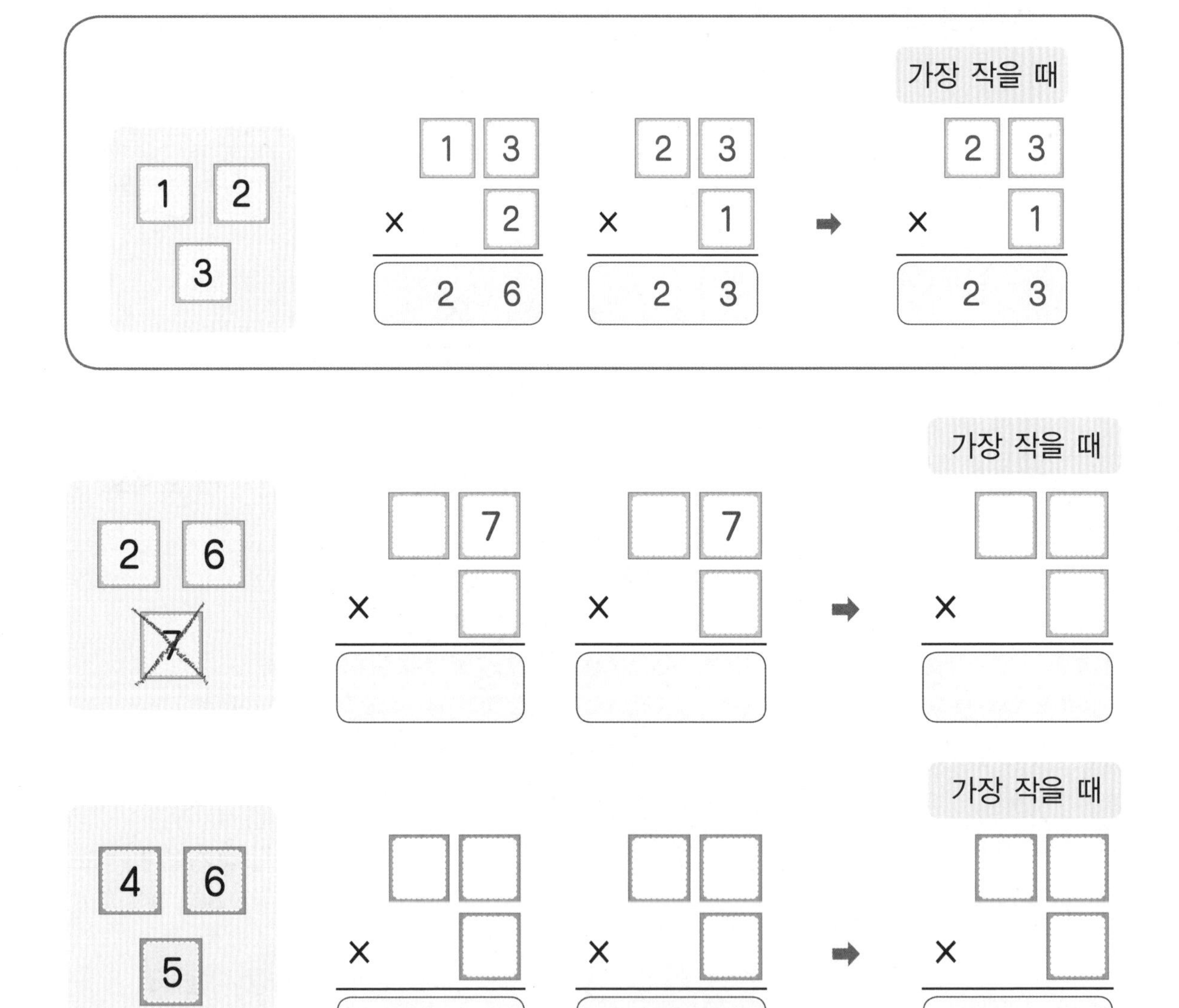

TIP

(두 자리 수)×(한 자리 수)에서 곱을 가장 작게 만들려면, 두 자리 수에서 십의 자리 수와 한 자리 수의 곱이 가장 작아야 합니다. 이때 만들 수 있는 두 가지 경우를 비교해 보면, 곱하는 한 자리 수에 가장 작은 수가 올 때 곱이 가장 작아짐을 알 수 있습니다.

숫자 카드를 한번씩 사용하여 곱이 가장 작을 때의 값을 구해보세요.

1 2 9

가장 작을 때

□ 9
× □

5 2 3

가장 작을 때

□ 5
× □

3 5 4

가장 작을 때

□ □
× □

2 6 7

가장 작을 때

□ □
× □

4 5 7 8

가장 작을 때

□ □
× □

4 2 8 9

가장 작을 때

□ □
× □

(세 자리 수)×(한 자리 수)에서 숫자 카드를 한번씩 사용하여 곱셈식을 만들 때, 곱을 가장 작게 만드는 방법을 알아보세요.

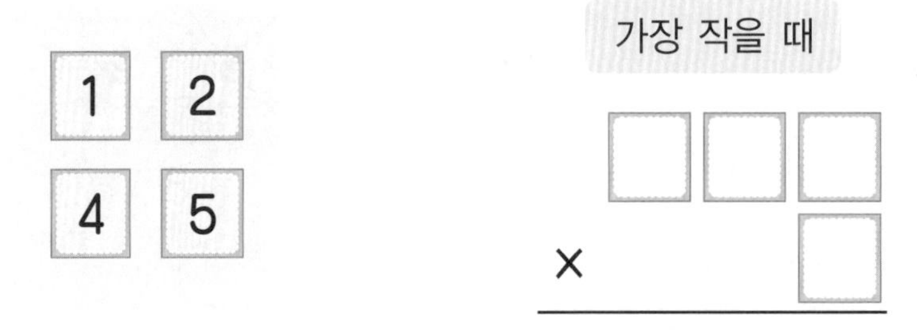

(1) 곱을 가장 작게 만들려면 색칠된 칸에 들어가야 할 수는 무엇인지 써 보세요.

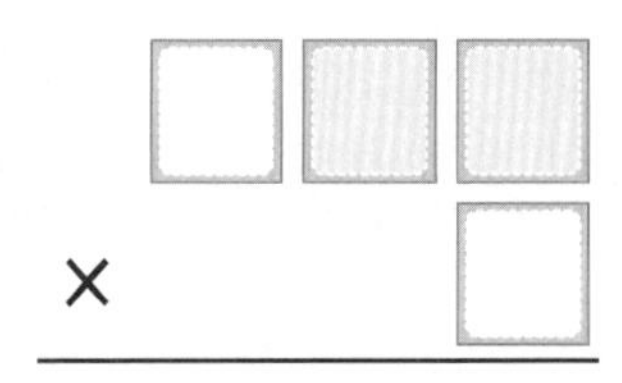

(2) 남은 수를 넣어서 만들 수 있는 두 가지 곱셈식을 계산하여 곱의 크기를 비교해 보세요.

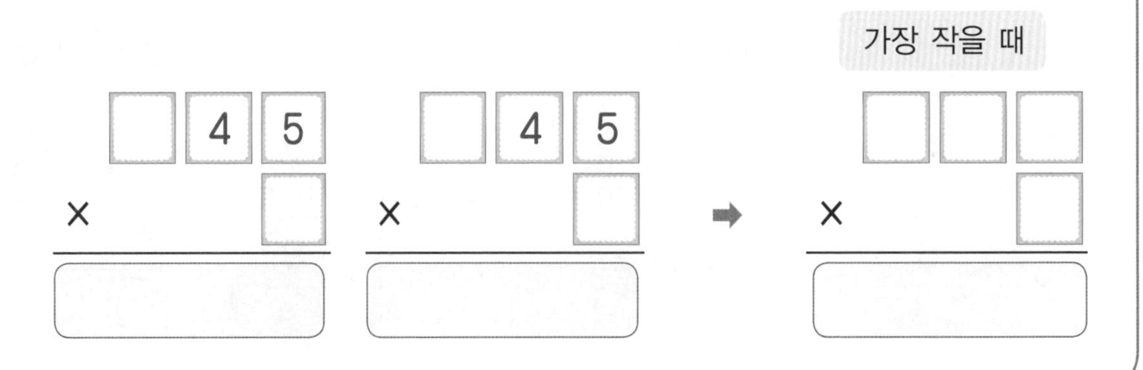

숫자 카드를 한번씩 사용하여 만든 곱셈식 중에서 곱이 가장 작을 때의 값을 구해보세요.

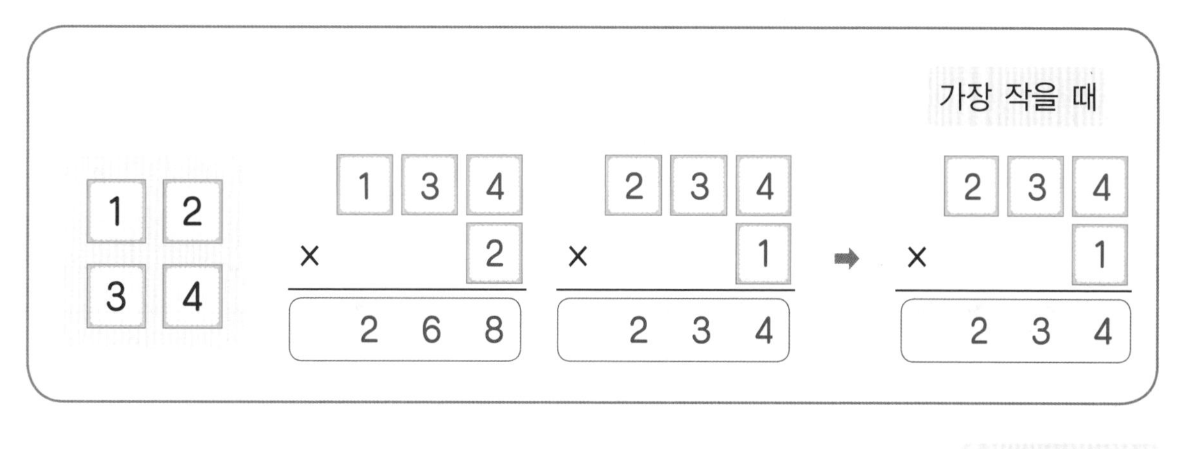

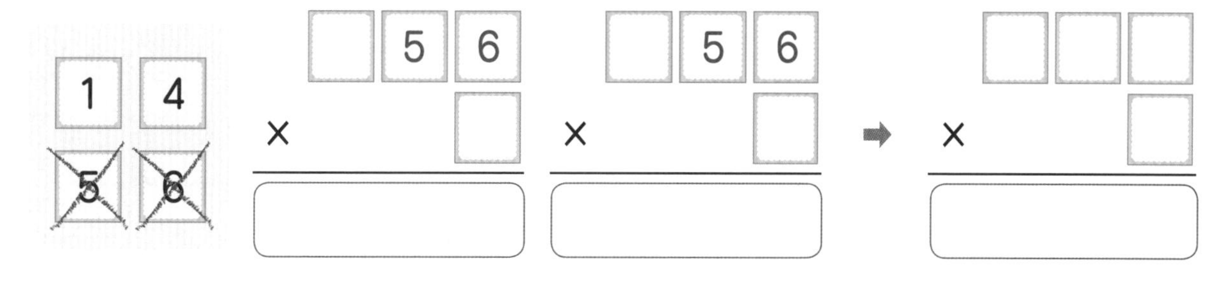

가장 작을 때

2	7
8	5

×

×

×

(세 자리 수)×(한 자리 수)에서 곱을 가장 작게 만들려면, 세 자리 수에서 백의 자리 수와 한 자리 수의 곱이 가장 작아야 합니다. 이때 만들 수 있는 두 가지 경우를 비교해 보면, 곱하는 한 자리 수에 가장 작은 수가 올 때 곱이 가장 작아짐을 알 수 있습니다.

숫자 카드를 한번씩 사용하여 곱이 가장 작을 때의 값을 구해보세요.

숫자 카드: 1, 2, ~~3~~, ~~5~~

가장 작을 때

	□	3	5
×			□

숫자 카드: 1, 3, ~~5~~, ~~6~~

가장 작을 때

	□	5	6
×			□

숫자 카드: 2, 8, 6, 4

가장 작을 때

	□	□	□
×			□

숫자 카드: 5, 7, 6, 1

가장 작을 때

	□	□	□
×			□

숫자 카드: 2, 7, 5, 3, 8

가장 작을 때

	□	□	□
×			□

숫자 카드: 5, 7, 6, 8, 9

가장 작을 때

	□	□	□
×			□

곱이 가장 작은 식 (2)

 (두 자리 수)×(두 자리 수)에서 숫자 카드를 한번씩 사용하여 곱셈식을 만들 때, 곱을 가장 작게 만드는 방법을 알아보세요.

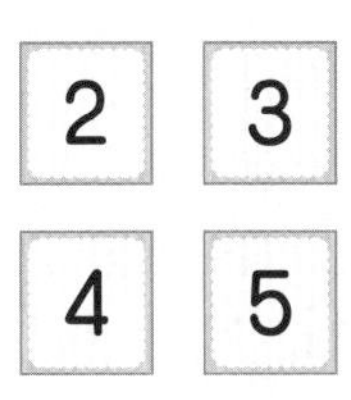

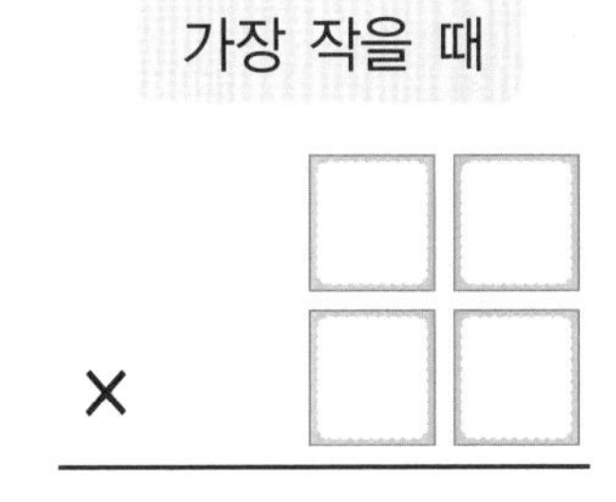

(1) 곱을 가장 작게 만들려면 색칠된 칸에 들어가야 할 수는 무엇인지 써 보세요. (단, 작은 수를 위쪽에 씁니다.)

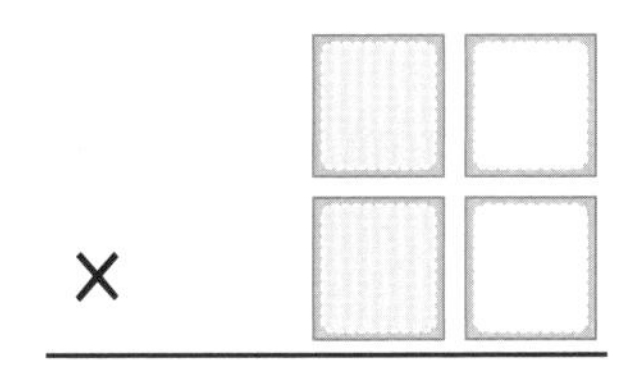

(2) 남은 수를 넣어서 만들 수 있는 두 가지 곱셈식을 계산하여 곱의 크기를 비교해 보세요.

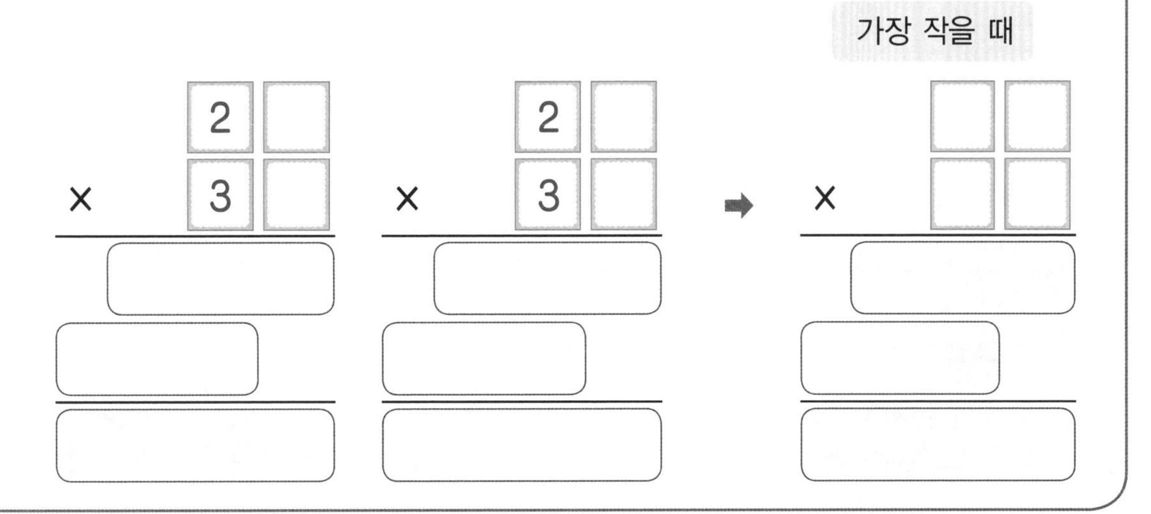

숫자 카드를 한번씩 사용하여 만든 곱셈식 중에서 곱이 가장 작을 때의 값을 구해보세요.

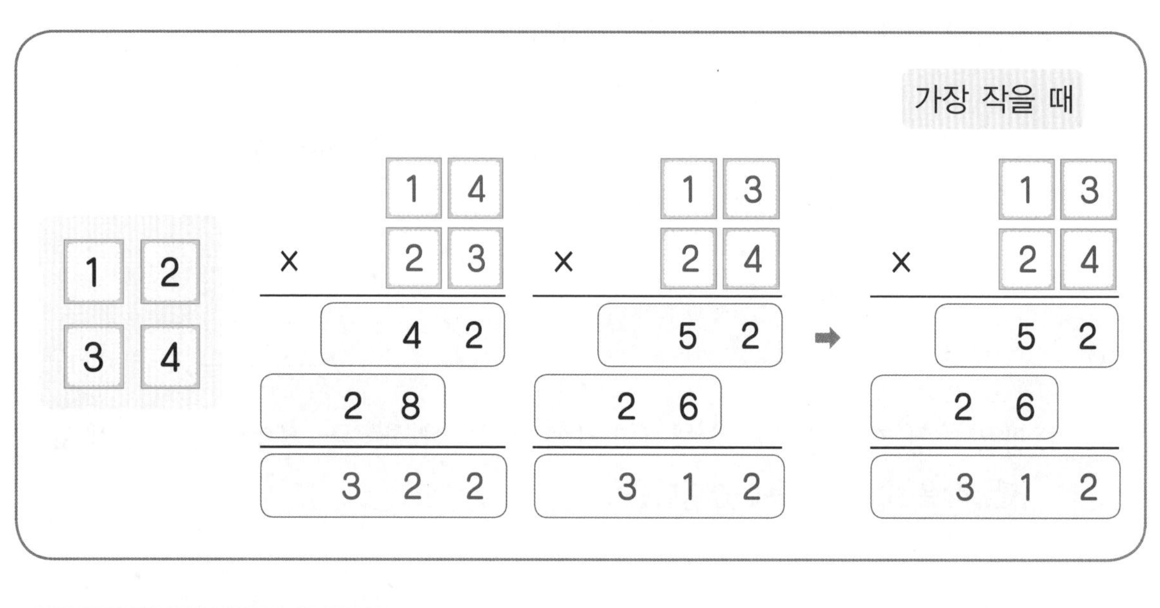

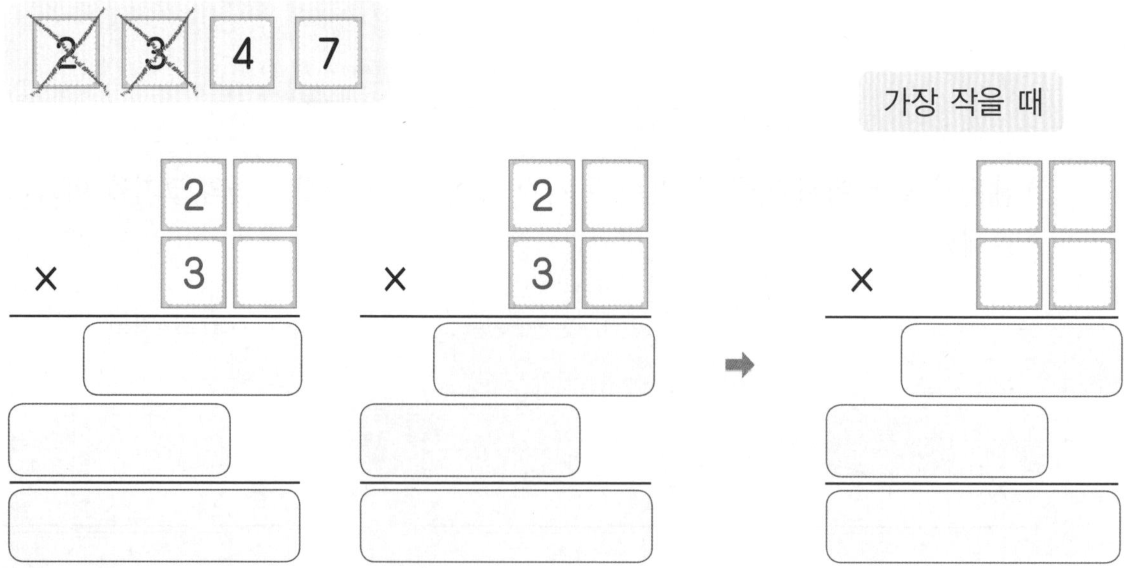

TIP

(두 자리 수)×(두 자리 수)에서 곱을 가장 작게 만들려면, 네 숫자 중 작은 두 숫자가 십의 자리에 오고, 남은 일의 자리 숫자와의 곱이 큰 수끼리 곱해지지 않도록 수를 배치하면 됩니다.

숫자 카드를 한번씩 사용하여 곱이 가장 작을 때의 값을 구해보세요. (단, 작은 수를 위쪽에 씁니다.

가장 작을 때

~~1~~ ~~3~~
4 5

$\times$ 1 □ / 3 □

가장 작을 때

4 3
2 8

가장 작을 때

2 4
6 8

가장 작을 때

3 8
1 9

숫자 카드를 한번씩 사용하여 곱이 가장 작을 때의 값을 구해보세요. (단, 작은 수를 위쪽에 씁니다.

가장 작을 때

카드: ~~1~~ ~~2~~ 6 8 9

$$\begin{array}{r} 1\square \\ \times\ 2\square \\ \hline \square \\ \square\ \\ \hline \square \end{array}$$

가장 작을 때

카드: 6 7 1 8 5

$$\begin{array}{r} \square\square \\ \times\ \square\square \\ \hline \square \\ \square\ \\ \hline \square \end{array}$$

가장 작을 때

카드: 5 2 9 8 3

$$\begin{array}{r} \square\square \\ \times\ \square\square \\ \hline \square \\ \square\ \\ \hline \square \end{array}$$

가장 작을 때

카드: 3 4 9 7 5

$$\begin{array}{r} \square\square \\ \times\ \square\square \\ \hline \square \\ \square\ \\ \hline \square \end{array}$$

보충학습

Drill

(세 자리 수)×(두 자리 수) (1)

빈칸에 알맞은 수를 써넣으세요.

$$\begin{array}{r} 157 \\ \times \quad 30 \\ \hline \square \end{array} \qquad \begin{array}{r} 562 \\ \times \quad 40 \\ \hline \square \end{array} \qquad \begin{array}{r} 237 \\ \times \quad 50 \\ \hline \square \end{array}$$

$$\begin{array}{r} 731 \\ \times \quad 20 \\ \hline \square \end{array} \qquad \begin{array}{r} 624 \\ \times \quad 40 \\ \hline \square \end{array} \qquad \begin{array}{r} 257 \\ \times \quad 60 \\ \hline \square \end{array}$$

$$\begin{array}{r} 822 \\ \times \quad 40 \\ \hline \square \end{array} \qquad \begin{array}{r} 306 \\ \times \quad 80 \\ \hline \square \end{array} \qquad \begin{array}{r} 527 \\ \times \quad 50 \\ \hline \square \end{array}$$

$$\begin{array}{r} 226 \\ \times \quad 90 \\ \hline \square \end{array} \qquad \begin{array}{r} 814 \\ \times \quad 20 \\ \hline \square \end{array} \qquad \begin{array}{r} 446 \\ \times \quad 70 \\ \hline \square \end{array}$$

빈칸에 알맞은 수를 써넣으세요.

$$\begin{array}{r} 352 \\ \times \quad 40 \\ \hline \square \end{array} \qquad \begin{array}{r} 568 \\ \times \quad 20 \\ \hline \square \end{array} \qquad \begin{array}{r} 275 \\ \times \quad 60 \\ \hline \square \end{array}$$

$$\begin{array}{r} 826 \\ \times \quad 40 \\ \hline \square \end{array} \qquad \begin{array}{r} 365 \\ \times \quad 60 \\ \hline \square \end{array} \qquad \begin{array}{r} 804 \\ \times \quad 50 \\ \hline \square \end{array}$$

$$\begin{array}{r} 678 \\ \times \quad 70 \\ \hline \square \end{array} \qquad \begin{array}{r} 562 \\ \times \quad 40 \\ \hline \square \end{array} \qquad \begin{array}{r} 237 \\ \times \quad 80 \\ \hline \square \end{array}$$

$$\begin{array}{r} 318 \\ \times \quad 80 \\ \hline \square \end{array} \qquad \begin{array}{r} 654 \\ \times \quad 60 \\ \hline \square \end{array} \qquad \begin{array}{r} 892 \\ \times \quad 20 \\ \hline \square \end{array}$$

빈칸에 알맞은 수를 써넣으세요.

$$\begin{array}{r} 238 \\ \times \quad 20 \\ \hline \square \end{array} \qquad \begin{array}{r} 288 \\ \times \quad 30 \\ \hline \square \end{array} \qquad \begin{array}{r} 420 \\ \times \quad 60 \\ \hline \square \end{array}$$

$$\begin{array}{r} 706 \\ \times \quad 40 \\ \hline \square \end{array} \qquad \begin{array}{r} 382 \\ \times \quad 30 \\ \hline \square \end{array} \qquad \begin{array}{r} 507 \\ \times \quad 70 \\ \hline \square \end{array}$$

$$\begin{array}{r} 426 \\ \times \quad 60 \\ \hline \square \end{array} \qquad \begin{array}{r} 419 \\ \times \quad 80 \\ \hline \square \end{array} \qquad \begin{array}{r} 518 \\ \times \quad 90 \\ \hline \square \end{array}$$

$$\begin{array}{r} 456 \\ \times \quad 40 \\ \hline \square \end{array} \qquad \begin{array}{r} 678 \\ \times \quad 40 \\ \hline \square \end{array} \qquad \begin{array}{r} 388 \\ \times \quad 20 \\ \hline \square \end{array}$$

빈칸에 알맞은 수를 써넣으세요.

$$\begin{array}{r} 746 \\ \times \quad 70 \\ \hline \square \end{array}$$

$$\begin{array}{r} 465 \\ \times \quad 50 \\ \hline \square \end{array}$$

$$\begin{array}{r} 608 \\ \times \quad 30 \\ \hline \square \end{array}$$

$$\begin{array}{r} 661 \\ \times \quad 20 \\ \hline \square \end{array}$$

$$\begin{array}{r} 404 \\ \times \quad 40 \\ \hline \square \end{array}$$

$$\begin{array}{r} 237 \\ \times \quad 90 \\ \hline \square \end{array}$$

$$\begin{array}{r} 412 \\ \times \quad 80 \\ \hline \square \end{array}$$

$$\begin{array}{r} 556 \\ \times \quad 60 \\ \hline \square \end{array}$$

$$\begin{array}{r} 309 \\ \times \quad 40 \\ \hline \square \end{array}$$

$$\begin{array}{r} 870 \\ \times \quad 50 \\ \hline \square \end{array}$$

$$\begin{array}{r} 423 \\ \times \quad 70 \\ \hline \square \end{array}$$

$$\begin{array}{r} 796 \\ \times \quad 30 \\ \hline \square \end{array}$$

빈칸에 알맞은 수를 써넣으세요.

$$\begin{array}{r} 157 \\ \times \quad 63 \\ \hline \square \\ \square \quad \\ \hline \square \end{array}$$

$$\begin{array}{r} 247 \\ \times \quad 18 \\ \hline \square \\ \square \quad \\ \hline \square \end{array}$$

$$\begin{array}{r} 532 \\ \times \quad 34 \\ \hline \square \\ \square \quad \\ \hline \square \end{array}$$

$$\begin{array}{r} 406 \\ \times \quad 28 \\ \hline \square \\ \square \quad \\ \hline \square \end{array}$$

$$\begin{array}{r} 123 \\ \times \quad 32 \\ \hline \square \\ \square \quad \\ \hline \square \end{array}$$

$$\begin{array}{r} 282 \\ \times \quad 36 \\ \hline \square \\ \square \quad \\ \hline \square \end{array}$$

$$\begin{array}{r} 545 \\ \times \quad 61 \\ \hline \square \\ \square \quad \\ \hline \square \end{array}$$

$$\begin{array}{r} 379 \\ \times \quad 25 \\ \hline \square \\ \square \quad \\ \hline \square \end{array}$$

$$\begin{array}{r} 158 \\ \times \quad 22 \\ \hline \square \\ \square \quad \\ \hline \square \end{array}$$

빈칸에 알맞은 수를 써넣으세요.

$$\begin{array}{r} 2\ 0\ 7 \\ \times \quad 3\ 5 \\ \hline \square \\ \square \\ \hline \square \end{array}$$

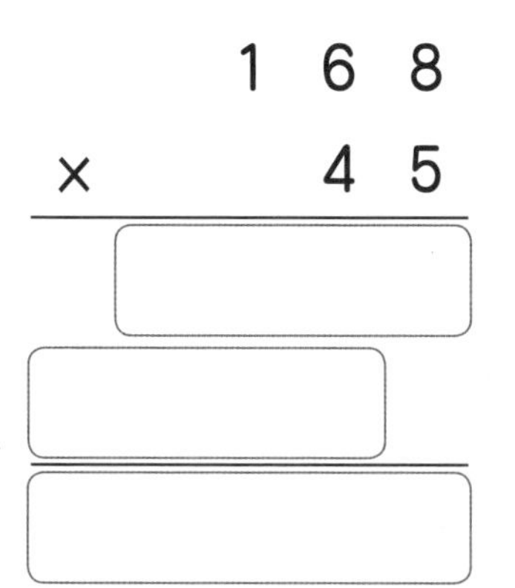

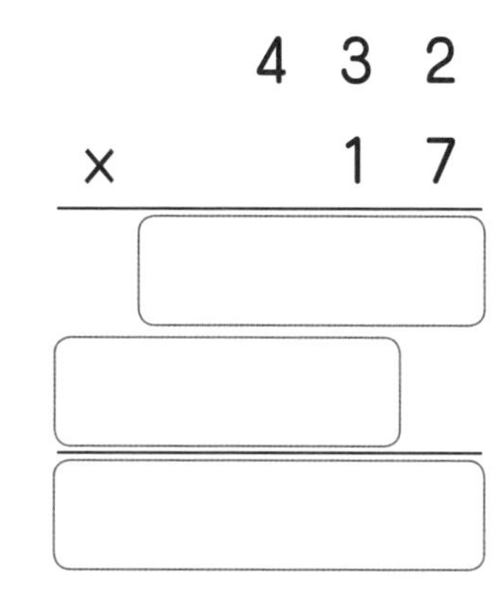

$$\begin{array}{r} 3\ 1\ 9 \\ \times \quad 4\ 1 \\ \hline \square \\ \square \\ \hline \square \end{array}$$

$$\begin{array}{r} 5\ 6\ 2 \\ \times \quad 2\ 7 \\ \hline \square \\ \square \\ \hline \square \end{array}$$

$$\begin{array}{r} 3\ 9\ 2 \\ \times \quad 5\ 3 \\ \hline \square \\ \square \\ \hline \square \end{array}$$

$$\begin{array}{r} 4\ 5\ 8 \\ \times \quad 1\ 7 \\ \hline \square \\ \square \\ \hline \square \end{array}$$

$$\begin{array}{r} 1\ 6\ 8 \\ \times \quad 7\ 4 \\ \hline \square \\ \square \\ \hline \square \end{array}$$

$$\begin{array}{r} 2\ 4\ 9 \\ \times \quad 5\ 2 \\ \hline \square \\ \square \\ \hline \square \end{array}$$

빈칸에 알맞은 수를 써넣으세요.

$$\begin{array}{r} 406 \\ \times \quad 22 \\ \hline \square \\ \square \\ \hline \square \end{array} \qquad \begin{array}{r} 412 \\ \times \quad 56 \\ \hline \square \\ \square \\ \hline \square \end{array} \qquad \begin{array}{r} 287 \\ \times \quad 23 \\ \hline \square \\ \square \\ \hline \square \end{array}$$

$$\begin{array}{r} 119 \\ \times \quad 63 \\ \hline \square \\ \square \\ \hline \square \end{array} \qquad \begin{array}{r} 263 \\ \times \quad 18 \\ \hline \square \\ \square \\ \hline \square \end{array} \qquad \begin{array}{r} 379 \\ \times \quad 48 \\ \hline \square \\ \square \\ \hline \square \end{array}$$

$$\begin{array}{r} 408 \\ \times \quad 26 \\ \hline \square \\ \square \\ \hline \square \end{array} \qquad \begin{array}{r} 535 \\ \times \quad 38 \\ \hline \square \\ \square \\ \hline \square \end{array} \qquad \begin{array}{r} 708 \\ \times \quad 52 \\ \hline \square \\ \square \\ \hline \square \end{array}$$

빈칸에 알맞은 수를 써넣으세요.

$$\begin{array}{r} 347 \\ \times \quad 29 \\ \hline \square \\ \square \\ \hline \square \end{array}$$

$$\begin{array}{r} 177 \\ \times \quad 43 \\ \hline \square \\ \square \\ \hline \square \end{array}$$

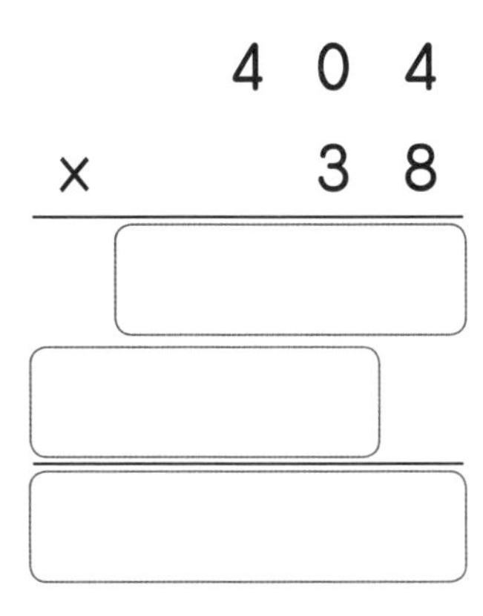

$$\begin{array}{r} 404 \\ \times \quad 38 \\ \hline \square \\ \square \\ \hline \square \end{array}$$

$$\begin{array}{r} 349 \\ \times \quad 28 \\ \hline \square \\ \square \\ \hline \square \end{array}$$

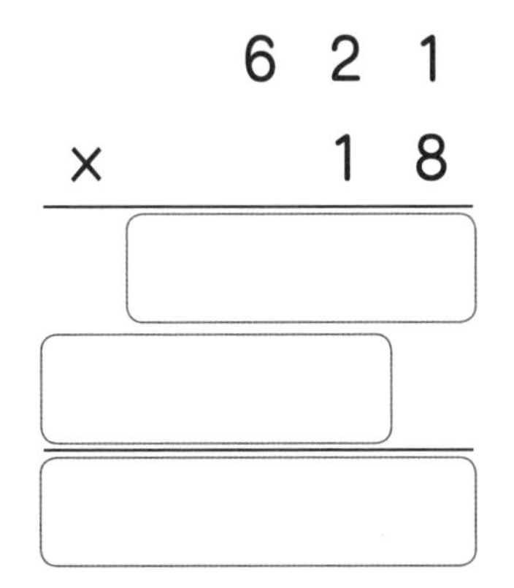

$$\begin{array}{r} 621 \\ \times \quad 18 \\ \hline \square \\ \square \\ \hline \square \end{array}$$

$$\begin{array}{r} 704 \\ \times \quad 42 \\ \hline \square \\ \square \\ \hline \square \end{array}$$

$$\begin{array}{r} 662 \\ \times \quad 13 \\ \hline \square \\ \square \\ \hline \square \end{array}$$

$$\begin{array}{r} 327 \\ \times \quad 19 \\ \hline \square \\ \square \\ \hline \square \end{array}$$

$$\begin{array}{r} 226 \\ \times \quad 32 \\ \hline \square \\ \square \\ \hline \square \end{array}$$

(세 자리 수)×(두 자리 수) (2)

각 자리의 위치를 맞추어 빈칸에 알맞은 수를 써넣으세요.

$$\begin{array}{r} 812 \\ \times \quad 12 \\ \hline 1624 \\ 812 \\ \hline 9744 \end{array}$$

$$\begin{array}{r} 633 \\ \times \quad 13 \\ \hline \end{array}$$

$$\begin{array}{r} 182 \\ \times \quad 46 \\ \hline \end{array}$$

$$\begin{array}{r} 155 \\ \times \quad 47 \\ \hline \end{array}$$

$$\begin{array}{r} 289 \\ \times \quad 29 \\ \hline \end{array}$$

$$\begin{array}{r} 327 \\ \times \quad 17 \\ \hline \end{array}$$

$$\begin{array}{r} 408 \\ \times \quad 32 \\ \hline \end{array}$$

$$\begin{array}{r} 552 \\ \times \quad 23 \\ \hline \end{array}$$

$$\begin{array}{r} 711 \\ \times \quad 18 \\ \hline \end{array}$$

각 자리의 위치를 맞추어 빈칸에 알맞은 수를 써넣으세요.

$$\begin{array}{r} 165 \\ \times \quad 52 \\ \hline \end{array}$$

$$\begin{array}{r} 266 \\ \times \quad 34 \\ \hline \end{array}$$

$$\begin{array}{r} 482 \\ \times \quad 62 \\ \hline \end{array}$$

$$\begin{array}{r} 547 \\ \times \quad 27 \\ \hline \end{array}$$

$$\begin{array}{r} 507 \\ \times \quad 55 \\ \hline \end{array}$$

$$\begin{array}{r} 184 \\ \times \quad 24 \\ \hline \end{array}$$

$$\begin{array}{r} 342 \\ \times \quad 18 \\ \hline \end{array}$$

$$\begin{array}{r} 289 \\ \times \quad 82 \\ \hline \end{array}$$

$$\begin{array}{r} 337 \\ \times \quad 18 \\ \hline \end{array}$$

각 자리의 위치를 맞추어 빈칸에 알맞은 수를 써넣으세요.

$$\begin{array}{r} 289 \\ \times\ \ 15 \\ \hline \end{array}$$

$$\begin{array}{r} 524 \\ \times\ \ 15 \\ \hline \end{array}$$

$$\begin{array}{r} 228 \\ \times\ \ 81 \\ \hline \end{array}$$

$$\begin{array}{r} 314 \\ \times\ \ 42 \\ \hline \end{array}$$

$$\begin{array}{r} 309 \\ \times\ \ 77 \\ \hline \end{array}$$

$$\begin{array}{r} 623 \\ \times\ \ 16 \\ \hline \end{array}$$

$$\begin{array}{r} 192 \\ \times\ \ 39 \\ \hline \end{array}$$

$$\begin{array}{r} 475 \\ \times\ \ 58 \\ \hline \end{array}$$

$$\begin{array}{r} 639 \\ \times\ \ 82 \\ \hline \end{array}$$

각 자리의 위치를 맞추어 빈칸에 알맞은 수를 써넣으세요.

$$\begin{array}{r} 403 \\ \times \quad 28 \\ \hline \end{array}$$

$$\begin{array}{r} 715 \\ \times \quad 36 \\ \hline \end{array}$$

$$\begin{array}{r} 372 \\ \times \quad 71 \\ \hline \end{array}$$

$$\begin{array}{r} 428 \\ \times \quad 18 \\ \hline \end{array}$$

$$\begin{array}{r} 626 \\ \times \quad 29 \\ \hline \end{array}$$

$$\begin{array}{r} 504 \\ \times \quad 33 \\ \hline \end{array}$$

$$\begin{array}{r} 328 \\ \times \quad 72 \\ \hline \end{array}$$

$$\begin{array}{r} 662 \\ \times \quad 19 \\ \hline \end{array}$$

$$\begin{array}{r} 345 \\ \times \quad 54 \\ \hline \end{array}$$

빈칸에 알맞은 수를 써넣으세요.

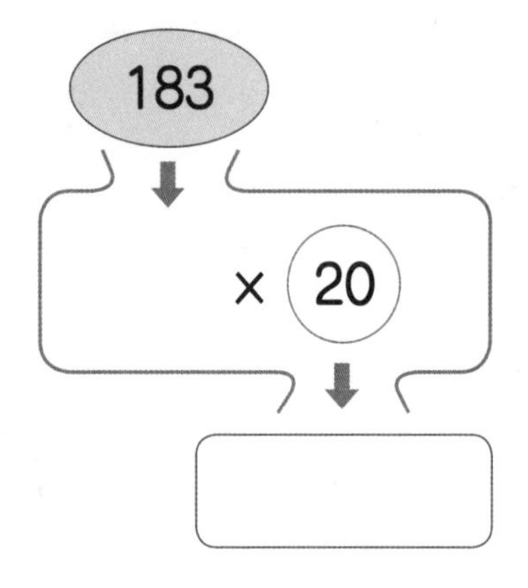

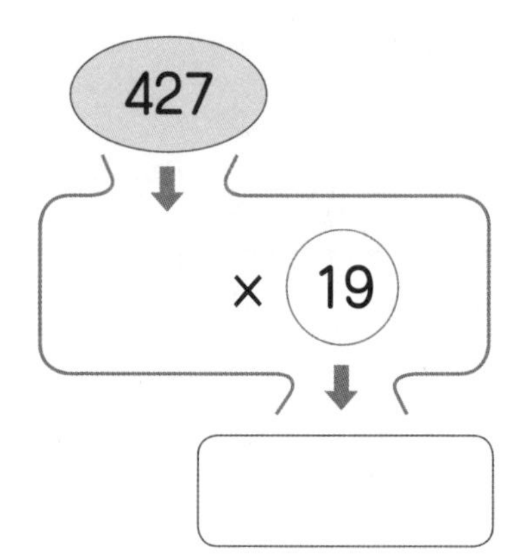

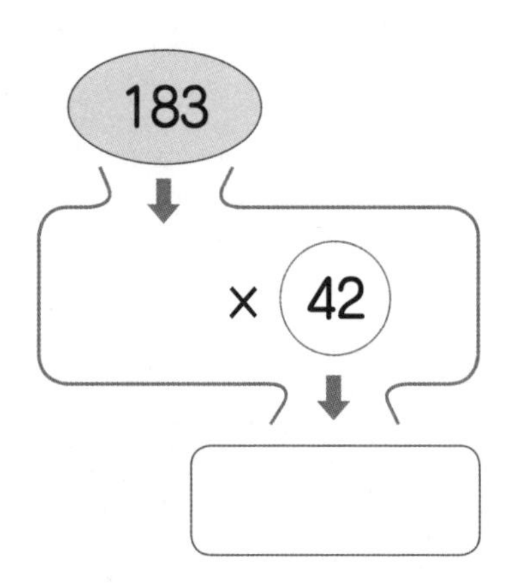

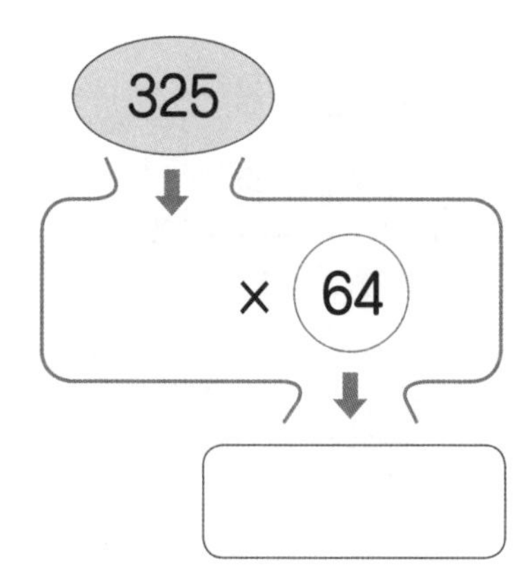

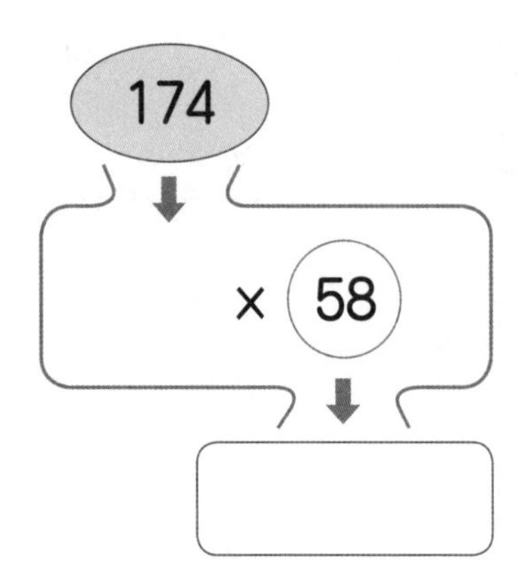

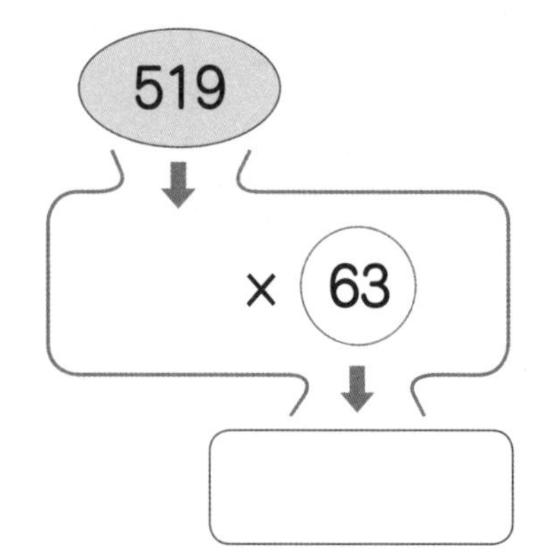

빈칸에 알맞은 수를 써넣으세요.

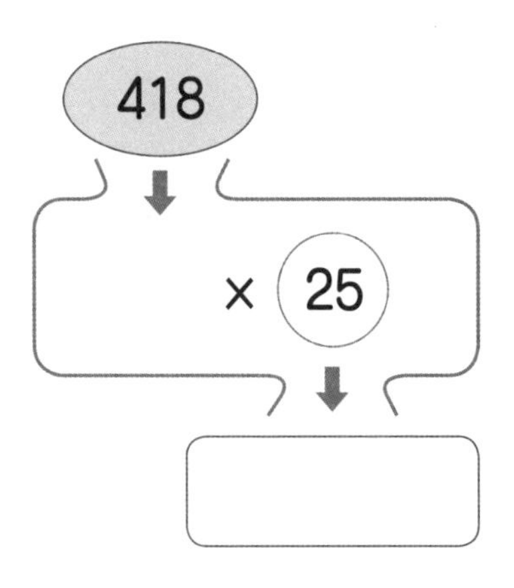

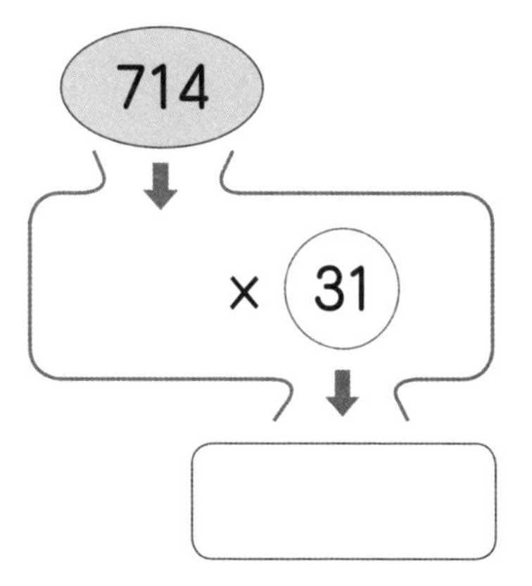

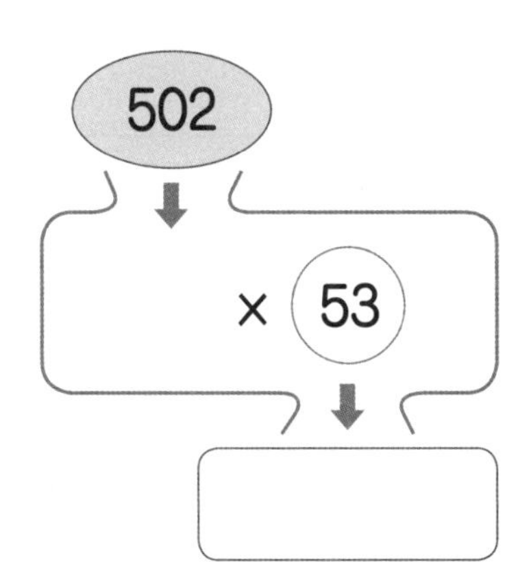

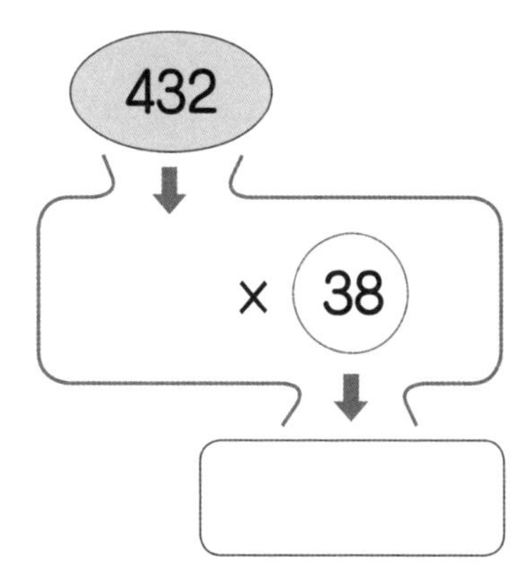

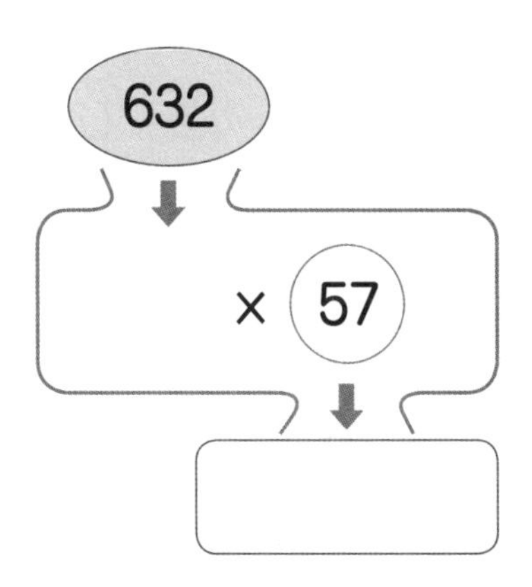

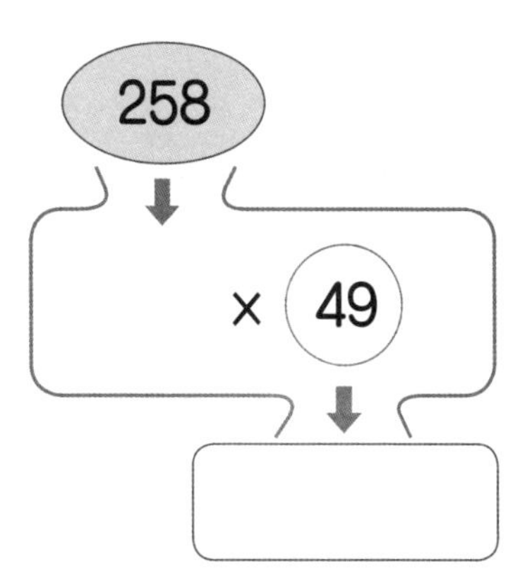

빈칸에 알맞은 수를 써넣으세요.

		3	7	0
×			5	□
1	8	□	0	0

		□	6	9
×			3	0
1	4	0	□	0

		2	3	7
×			4	□
	1	4	2	2
	9	□	8	
1	0	□	0	2

		3	6	□
×			5	4
	1	4	□	8
1	8	1	0	
1	□	5	4	8

		3	5	□
×			4	2
		7	1	4
1	4	□	□	
1	4	9	□	4

		5	3	6
×			□	9
	4	8	2	□
2	1	□	4	
2	6	□	6	4

빈칸에 알맞은 수를 써넣으세요.

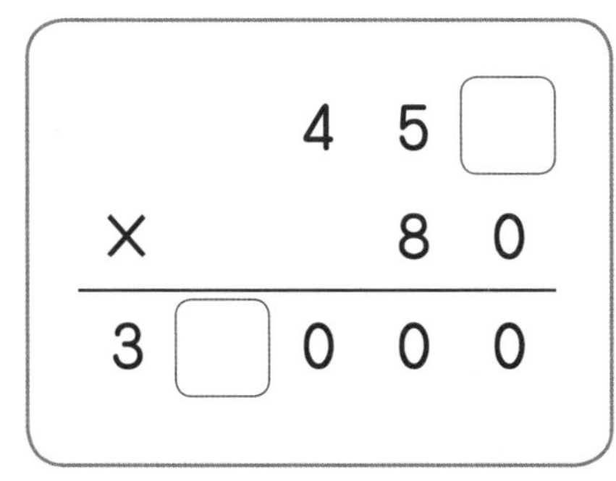

		5	2	□
×			3	0
1	□	8	4	0

		3	□	1
×			6	4
	1	□	0	4
2	□	0	6	
2	2	□	6	4

		□	2	9
×			3	8
	3	4	□	□
1	□	8	7	
1	6	3	0	2

		5	1	8
×			□	6
	3	1	□	8
2	□	7	□	
2	3	8	2	8

		7	4	3
×			2	□
	3	□	1	5
1	4	8	□	
1	8	□	7	5

(네 자리 수)×(두 자리 수)

빈칸에 알맞은 수를 써넣으세요.

$$\begin{array}{r} 2462 \\ \times \quad 50 \\ \hline \square \end{array}$$

$$\begin{array}{r} 3308 \\ \times \quad 40 \\ \hline \square \end{array}$$

$$\begin{array}{r} 1582 \\ \times \quad 70 \\ \hline \square \end{array}$$

$$\begin{array}{r} 2869 \\ \times \quad 20 \\ \hline \square \end{array}$$

$$\begin{array}{r} 4275 \\ \times \quad 30 \\ \hline \square \end{array}$$

$$\begin{array}{r} 4083 \\ \times \quad 60 \\ \hline \square \end{array}$$

$$\begin{array}{r} 5079 \\ \times \quad 20 \\ \hline \square \end{array}$$

$$\begin{array}{r} 1887 \\ \times \quad 40 \\ \hline \square \end{array}$$

$$\begin{array}{r} 1795 \\ \times \quad 60 \\ \hline \square \end{array}$$

$$\begin{array}{r} 3453 \\ \times \quad 60 \\ \hline \square \end{array}$$

$$\begin{array}{r} 5407 \\ \times \quad 20 \\ \hline \square \end{array}$$

$$\begin{array}{r} 2378 \\ \times \quad 70 \\ \hline \square \end{array}$$

빈칸에 알맞은 수를 써넣으세요.

$$\begin{array}{r} 2773 \\ \times \quad 50 \\ \hline \square \end{array}$$

$$\begin{array}{r} 8011 \\ \times \quad 20 \\ \hline \square \end{array}$$

$$\begin{array}{r} 5362 \\ \times \quad 30 \\ \hline \square \end{array}$$

$$\begin{array}{r} 4275 \\ \times \quad 40 \\ \hline \square \end{array}$$

$$\begin{array}{r} 3482 \\ \times \quad 60 \\ \hline \square \end{array}$$

$$\begin{array}{r} 6201 \\ \times \quad 30 \\ \hline \square \end{array}$$

$$\begin{array}{r} 5443 \\ \times \quad 20 \\ \hline \square \end{array}$$

$$\begin{array}{r} 7027 \\ \times \quad 30 \\ \hline \square \end{array}$$

$$\begin{array}{r} 1896 \\ \times \quad 70 \\ \hline \square \end{array}$$

$$\begin{array}{r} 3624 \\ \times \quad 40 \\ \hline \square \end{array}$$

$$\begin{array}{r} 3188 \\ \times \quad 50 \\ \hline \square \end{array}$$

$$\begin{array}{r} 7234 \\ \times \quad 20 \\ \hline \square \end{array}$$

빈칸에 알맞은 수를 써넣으세요.

$$\begin{array}{r} 1436 \\ \times \quad 27 \\ \hline \end{array}$$

$$\begin{array}{r} 2478 \\ \times \quad 19 \\ \hline \end{array}$$

$$\begin{array}{r} 4232 \\ \times \quad 47 \\ \hline \end{array}$$

$$\begin{array}{r} 3208 \\ \times \quad 36 \\ \hline \end{array}$$

$$\begin{array}{r} 2718 \\ \times \quad 36 \\ \hline \end{array}$$

$$\begin{array}{r} 3881 \\ \times \quad 29 \\ \hline \end{array}$$

$$\begin{array}{r} 5327 \\ \times \quad 45 \\ \hline \end{array}$$

$$\begin{array}{r} 4053 \\ \times \quad 32 \\ \hline \end{array}$$

$$\begin{array}{r} 3566 \\ \times \quad 24 \\ \hline \end{array}$$

빈칸에 알맞은 수를 써넣으세요.

$$\begin{array}{r} 2057 \\ \times \quad 34 \\ \hline \square \\ \square \\ \hline \square \end{array}$$

$$\begin{array}{r} 3512 \\ \times \quad 48 \\ \hline \square \\ \square \\ \hline \square \end{array}$$

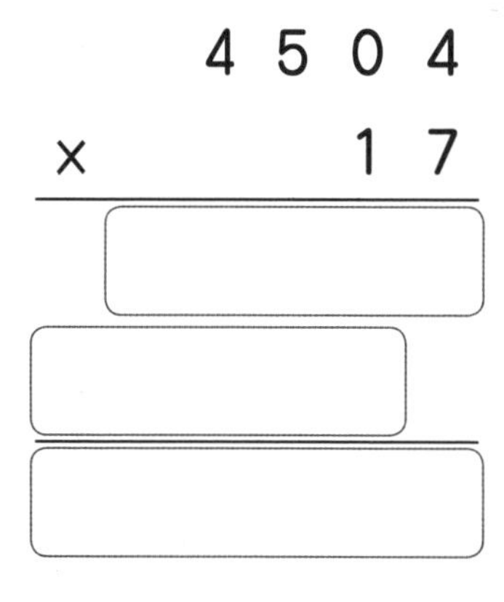

$$\begin{array}{r} 3614 \\ \times \quad 28 \\ \hline \square \\ \square \\ \hline \square \end{array}$$

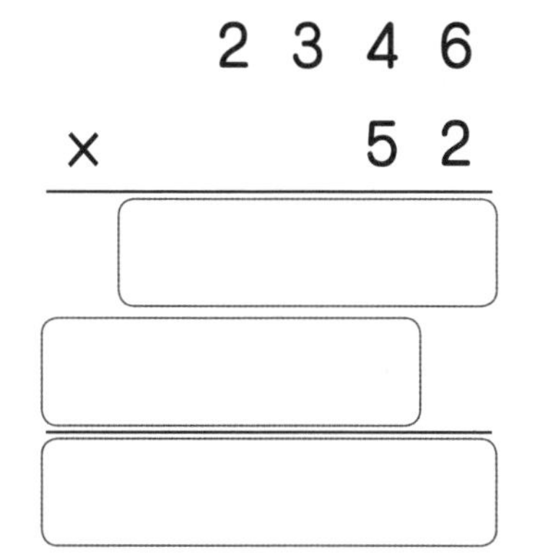

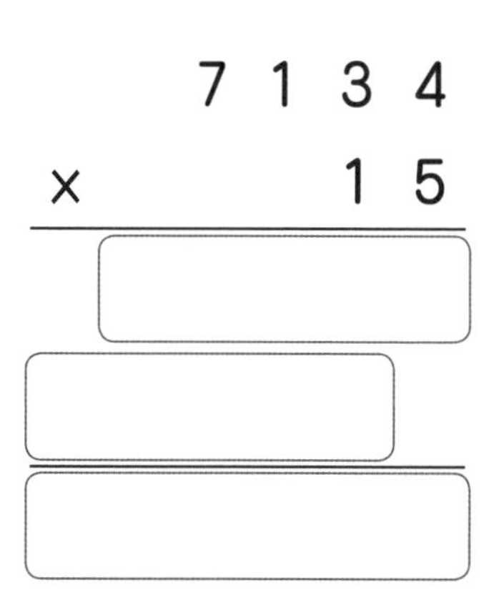

$$\begin{array}{r} 1896 \\ \times \quad 45 \\ \hline \square \\ \square \\ \hline \square \end{array}$$

$$\begin{array}{r} 5252 \\ \times \quad 26 \\ \hline \square \\ \square \\ \hline \square \end{array}$$

$$\begin{array}{r} 4743 \\ \times \quad 19 \\ \hline \square \\ \square \\ \hline \square \end{array}$$

빈칸에 알맞은 수를 써넣으세요.

$$\begin{array}{r} 6005 \\ \times \quad 27 \\ \hline \square \\ \square \\ \hline \square \end{array}$$

$$\begin{array}{r} 2544 \\ \times \quad 19 \\ \hline \square \\ \square \\ \hline \square \end{array}$$

$$\begin{array}{r} 3802 \\ \times \quad 23 \\ \hline \square \\ \square \\ \hline \square \end{array}$$

$$\begin{array}{r} 4123 \\ \times \quad 56 \\ \hline \square \\ \square \\ \hline \square \end{array}$$

$$\begin{array}{r} 1826 \\ \times \quad 27 \\ \hline \square \\ \square \\ \hline \square \end{array}$$

$$\begin{array}{r} 6443 \\ \times \quad 19 \\ \hline \square \\ \square \\ \hline \square \end{array}$$

$$\begin{array}{r} 1827 \\ \times \quad 25 \\ \hline \square \\ \square \\ \hline \square \end{array}$$

$$\begin{array}{r} 3204 \\ \times \quad 27 \\ \hline \square \\ \square \\ \hline \square \end{array}$$

$$\begin{array}{r} 8116 \\ \times \quad 71 \\ \hline \square \\ \square \\ \hline \square \end{array}$$

빈칸에 알맞은 수를 써넣으세요.

2 3 0 3
× 4 8

3 9 0 7
× 3 3

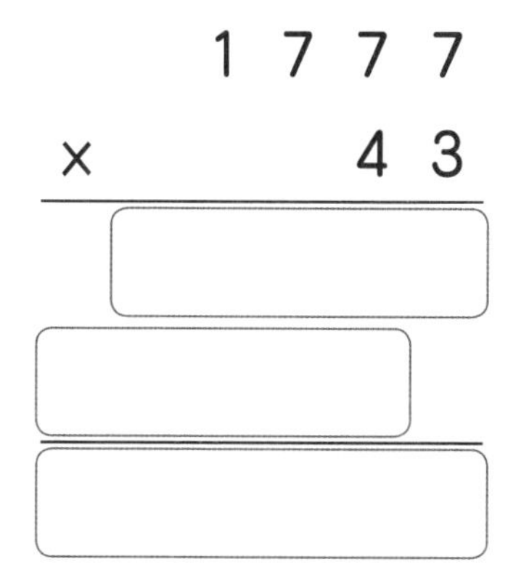

3 2 8 7
× 3 9

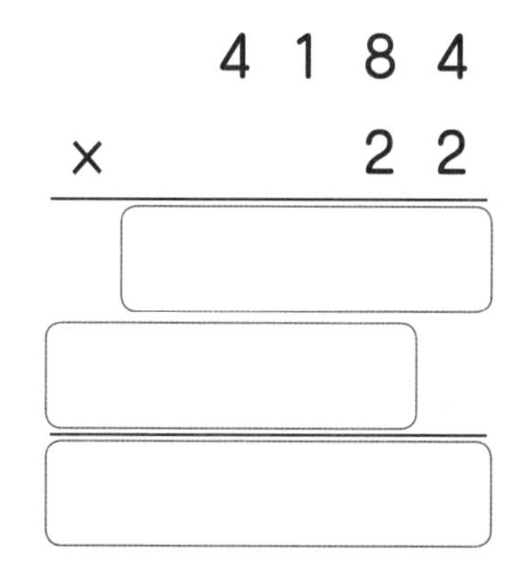

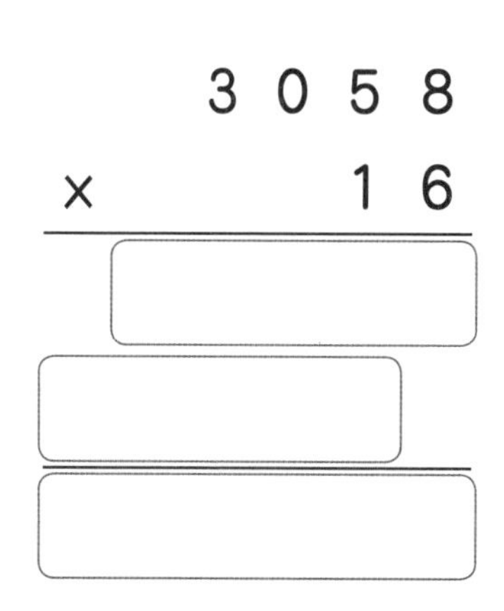

4 0 2 6
× 1 9

5 6 2 4
× 2 4

2 8 2 4
× 3 5

빈칸에 알맞은 수를 써넣으세요.

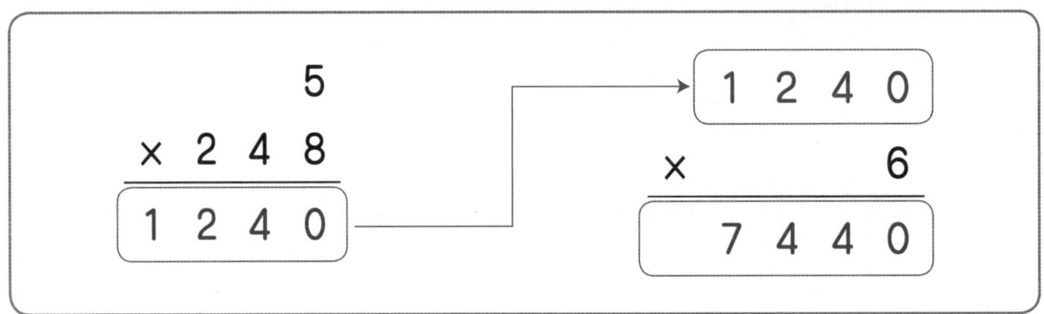

3 × 307 × 4 = ☐ × 4 = ☐

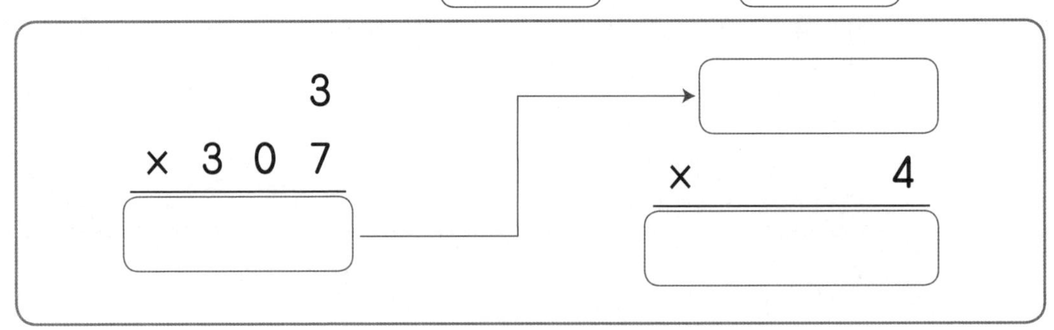

7 × 192 × 6 = ☐ × 6 = ☐

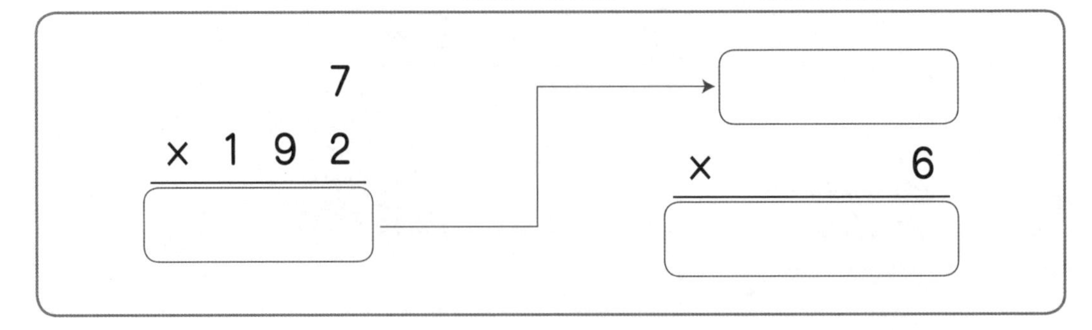

빈칸에 알맞은 수를 써넣으세요.

$152 \times 5 \times 63 = \square \times 63 = \square$

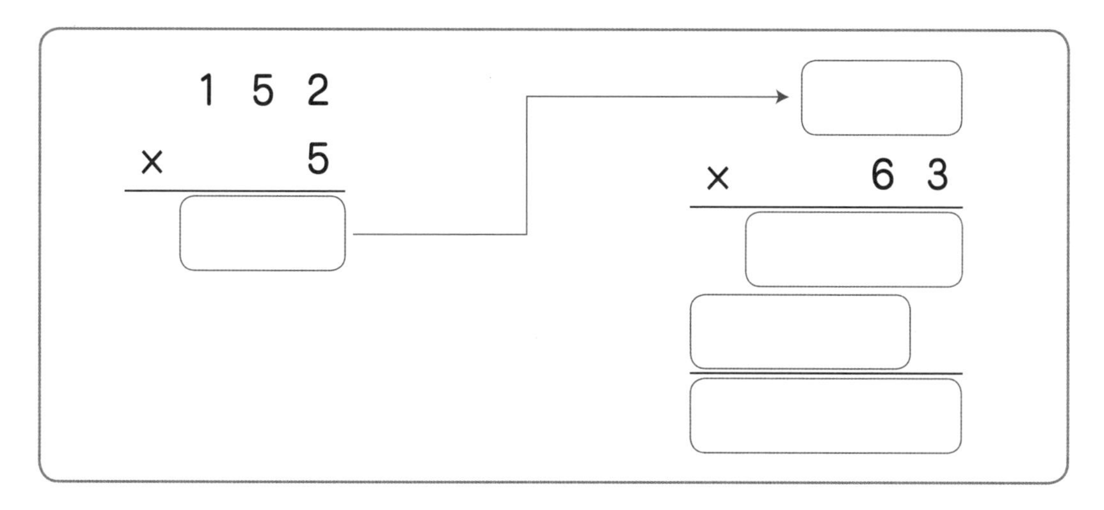

$68 \times 29 \times 37 = \square \times 37 = \square$

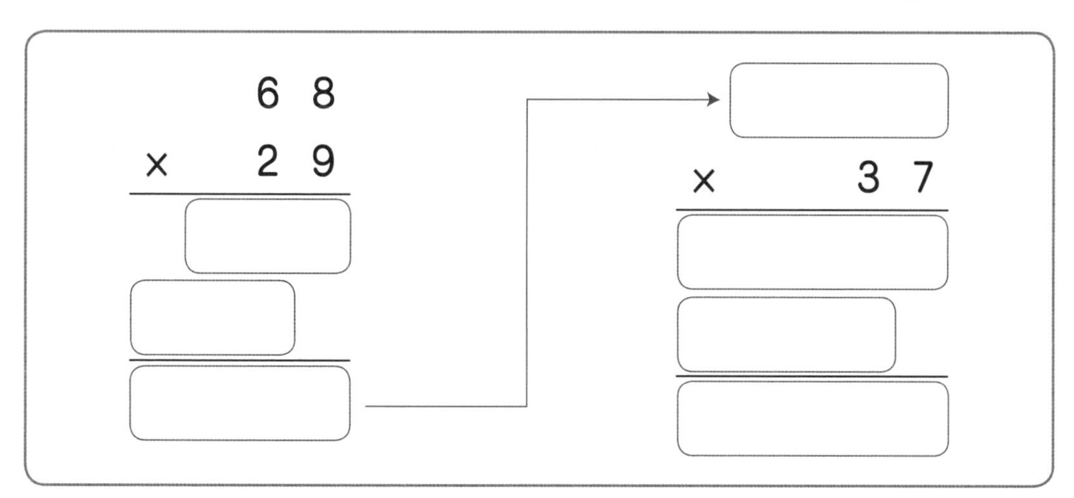

곱셈식 만들기

숫자 카드를 한번씩 사용하여 곱이 가장 클 때의 값을 구해보세요.

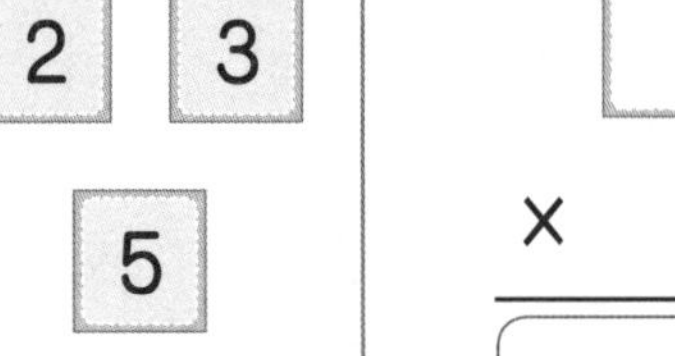

가장 클 때

×

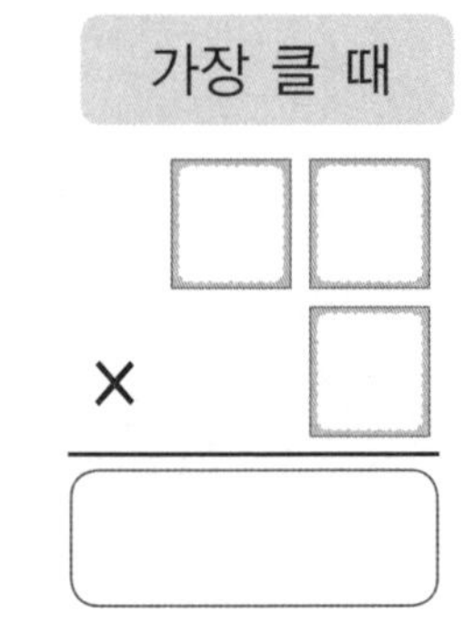

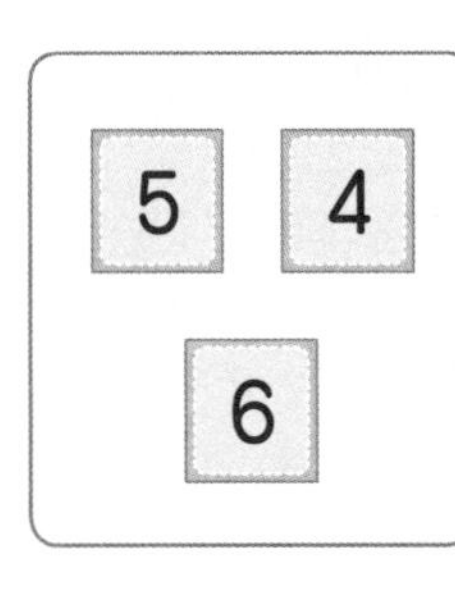

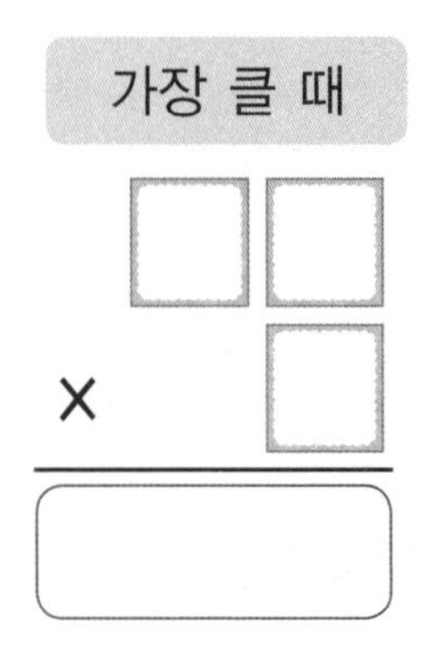

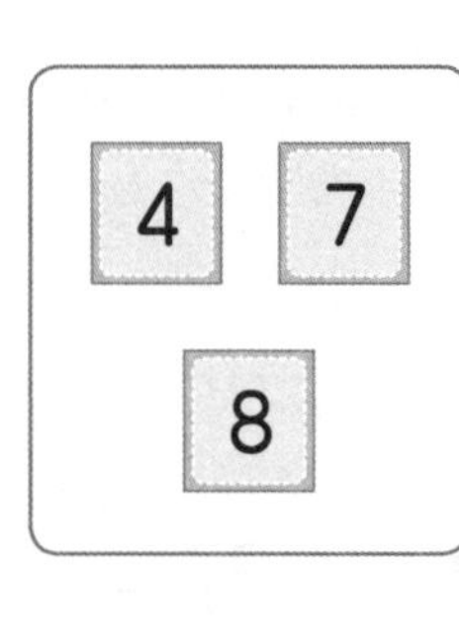

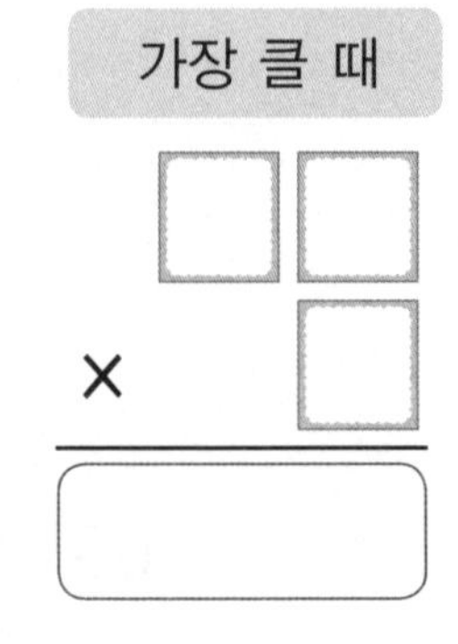

2 4
5 8

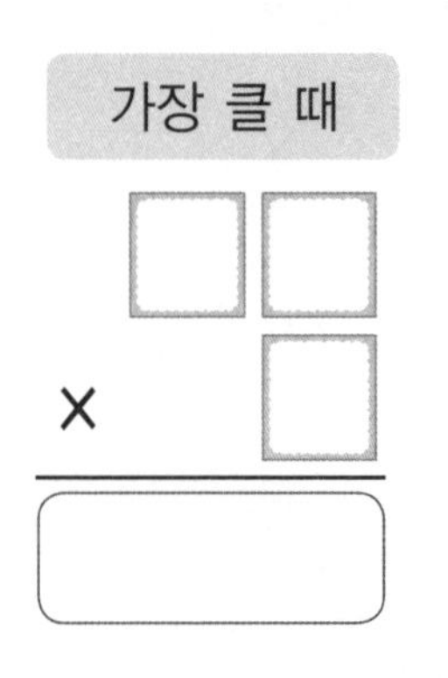

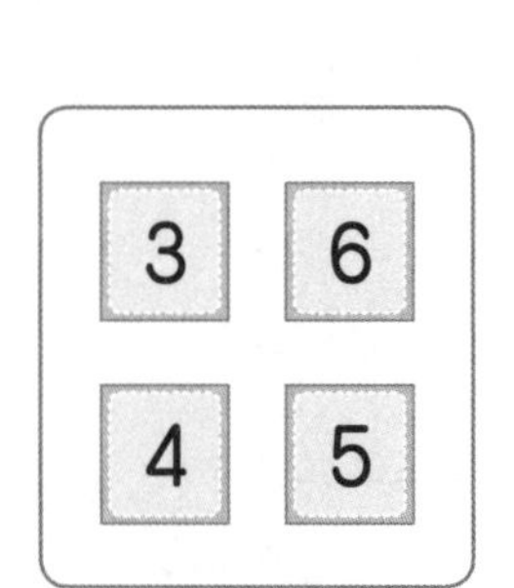

가장 클 때

×

숫자 카드를 한번씩 사용하여 곱이 가장 클 때의 값을 구해보세요.

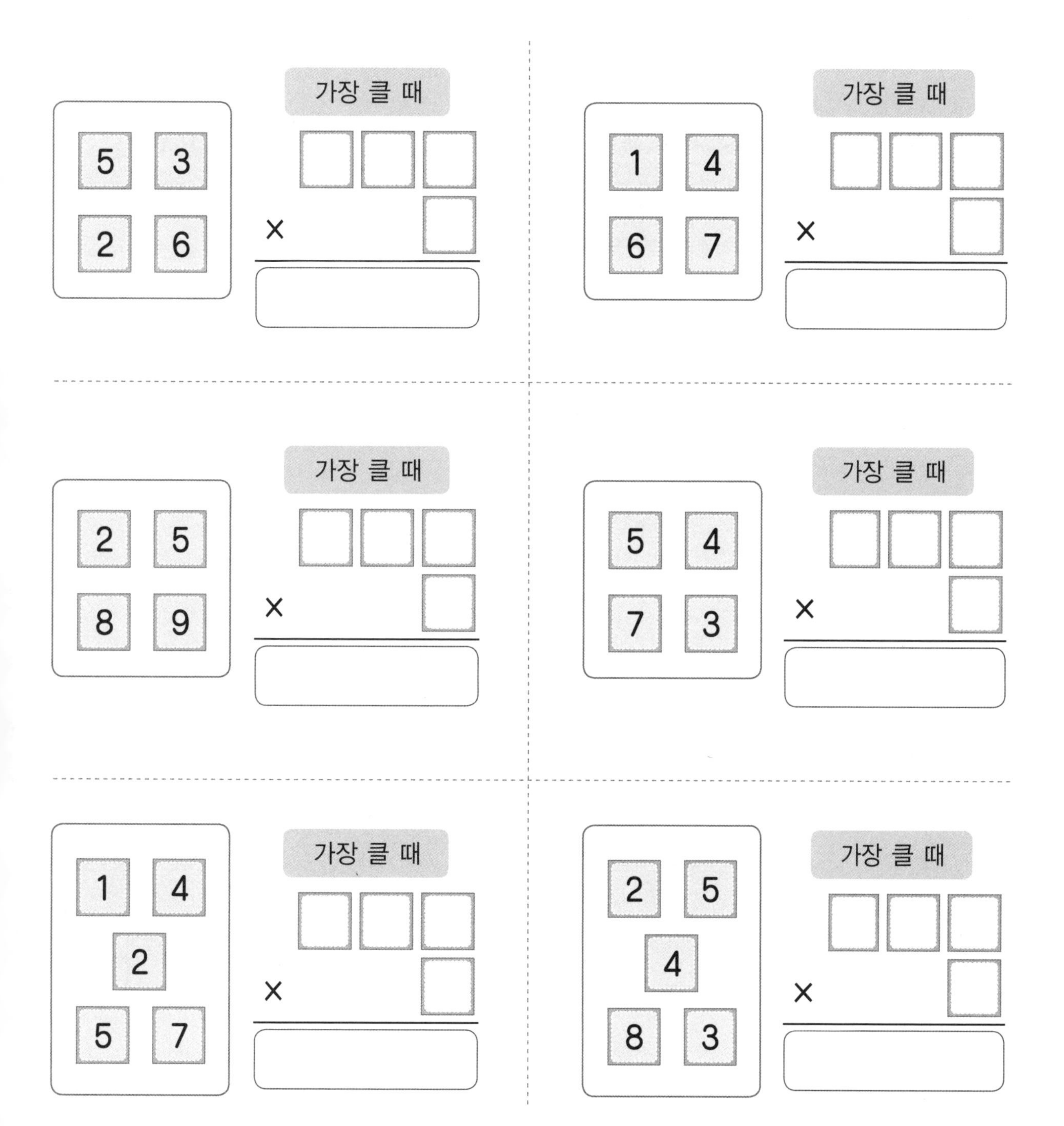

숫자 카드를 한번씩 사용하여 곱이 가장 클 때의 값을 구해보세요. (단, 큰 수를 위쪽에 씁니다.)

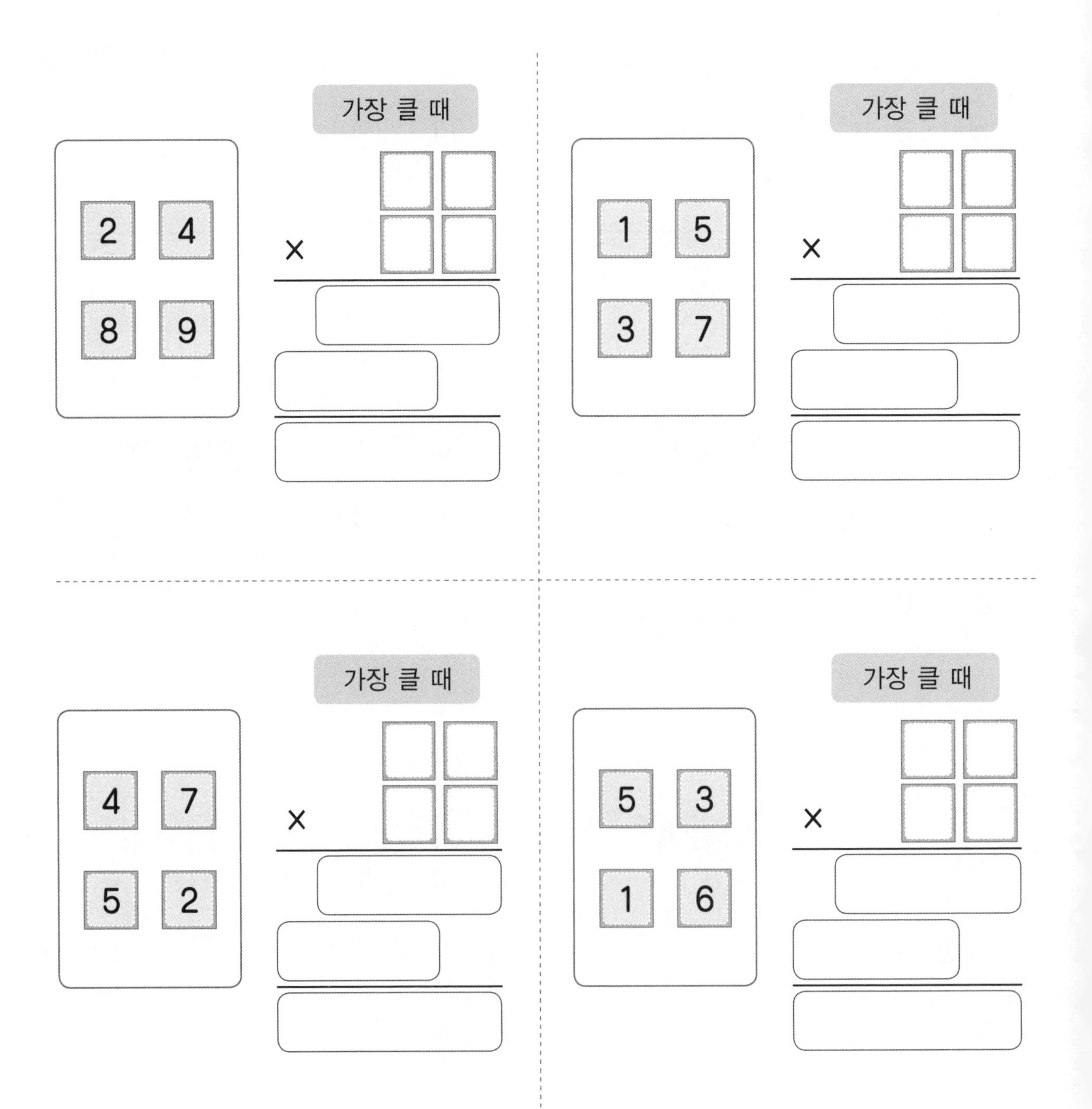

숫자 카드를 한번씩 사용하여 곱이 가장 클 때의 값을 구해보세요. (단, 큰 수를 위쪽에 씁니다.)

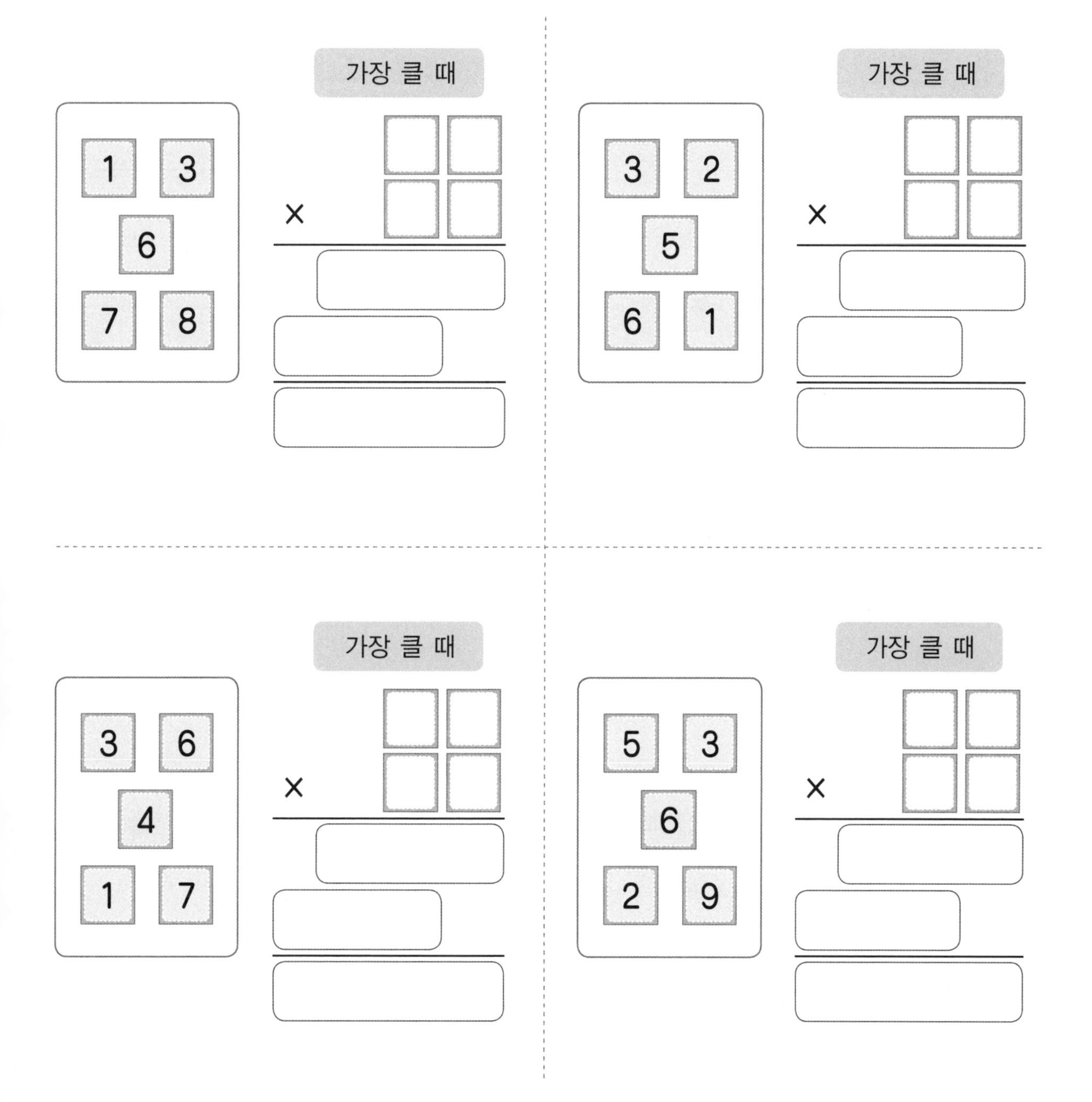

숫자 카드를 한번씩 사용하여 곱이 가장 작을 때의 값을 구해보세요.

2 5 8

가장 작을 때

×

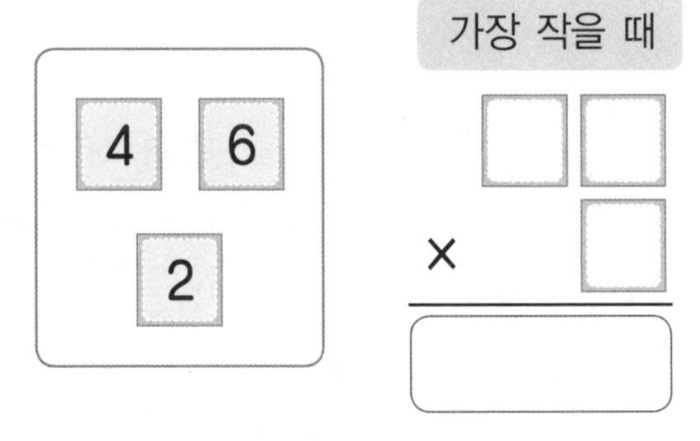

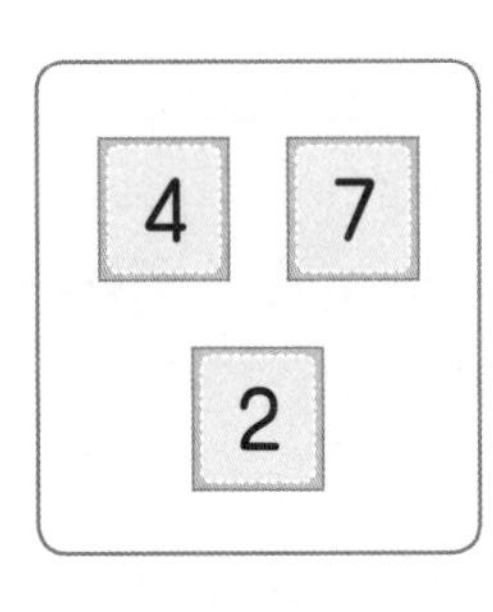

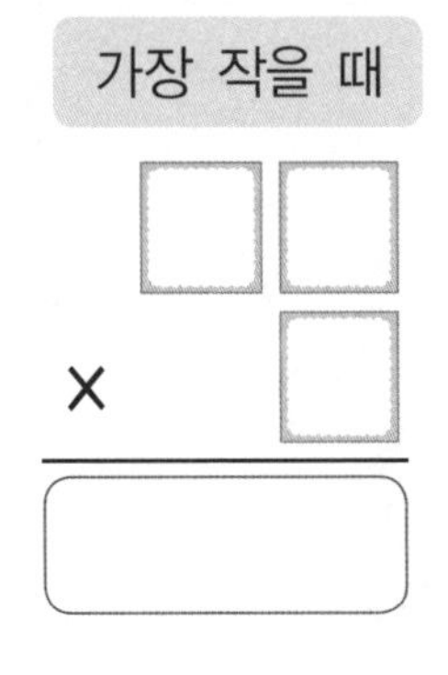

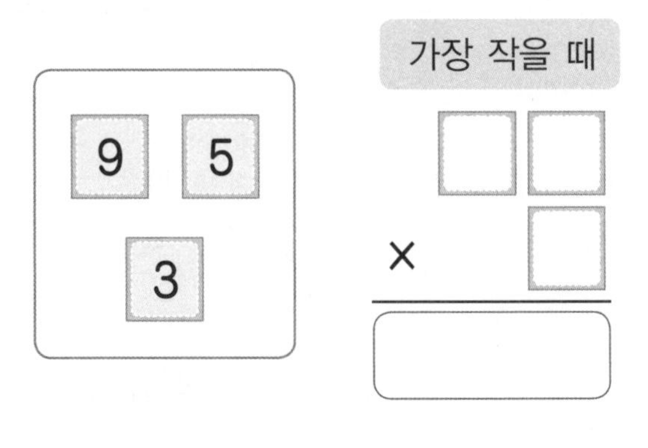

4 2 7 5

가장 작을 때

×

6 7 3 1

가장 작을 때

×

숫자 카드를 한번씩 사용하여 곱이 가장 작을 때의 값을 구해보세요.

3	5
6	9

가장 작을 때

×

2	6
3	1

가장 작을 때

×

8	5
2	3

가장 작을 때

×

6	4
8	7

가장 작을 때

×

5 4
2
9 6

가장 작을 때

×

6 2
3
7 4

가장 작을 때

×

숫자 카드를 한번씩 사용하여 곱이 가장 작을 때의 값을 구해보세요. (단, 작은 수를 위쪽에 씁니다.)

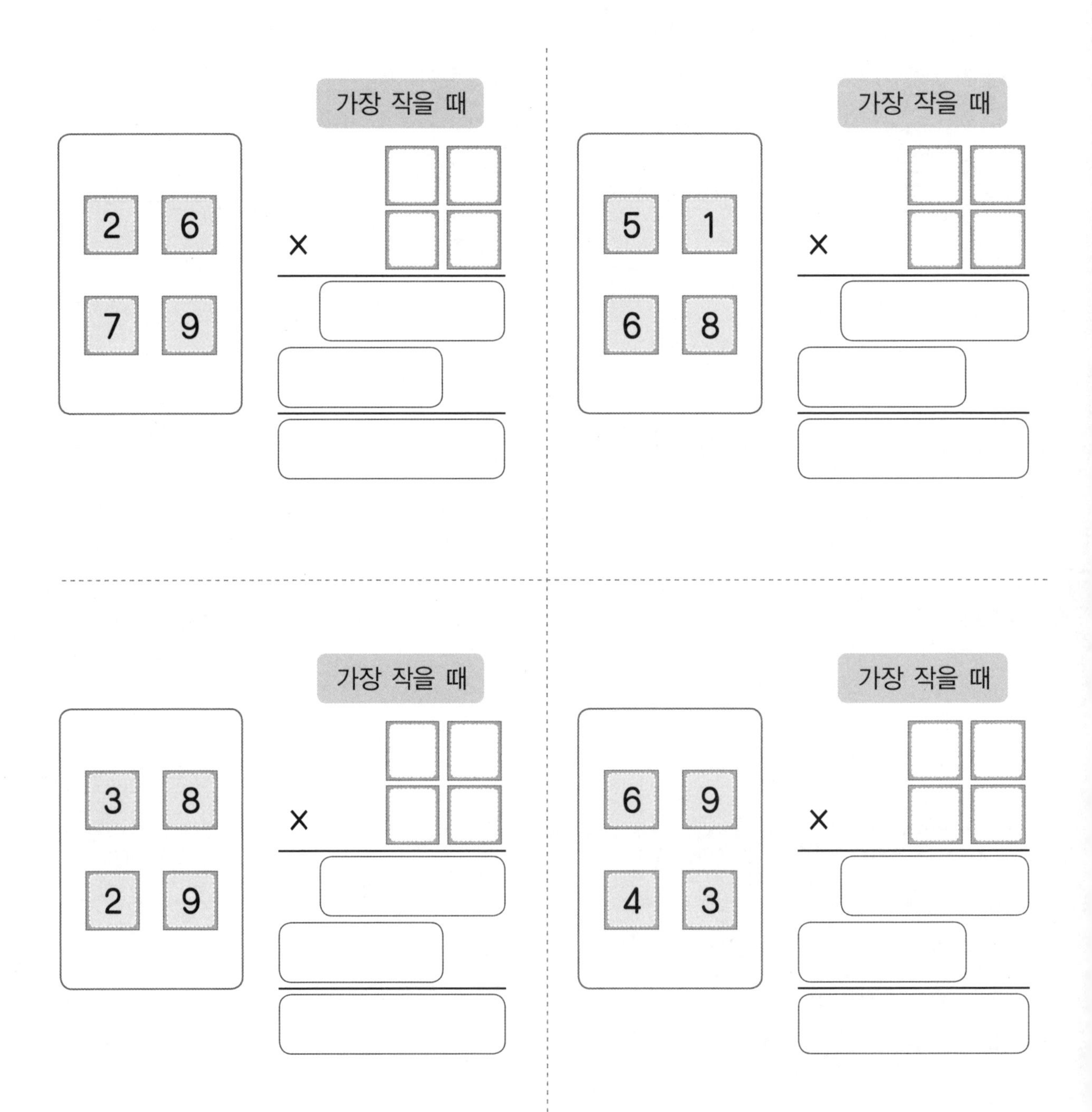

숫자 카드를 한번씩 사용하여 곱이 가장 작을 때의 값을 구해보세요. (단, 작은 수를 위쪽에 씁니다.)

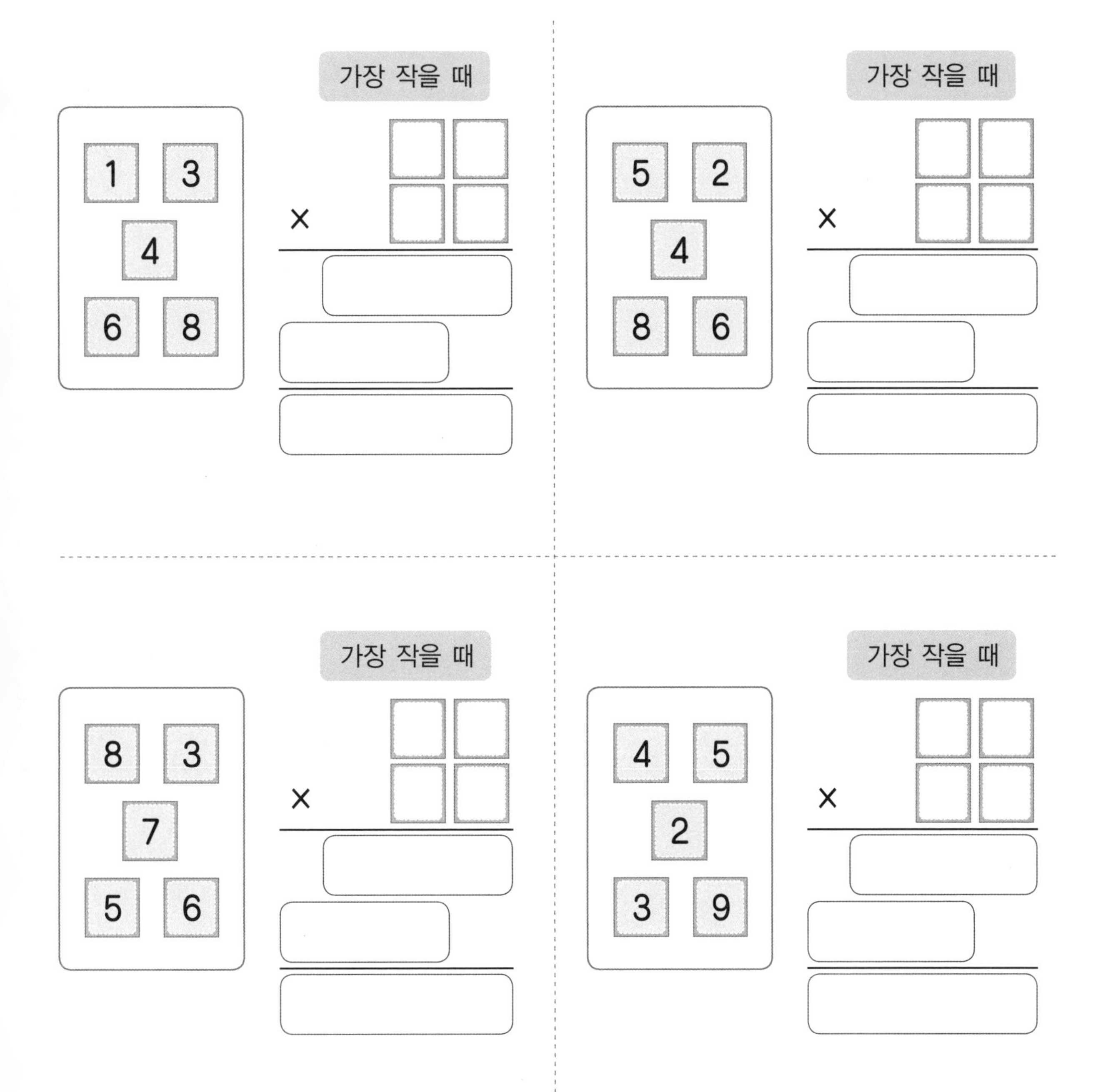

Note

소마의 마술같은 원리셈

P 10 ~ 11

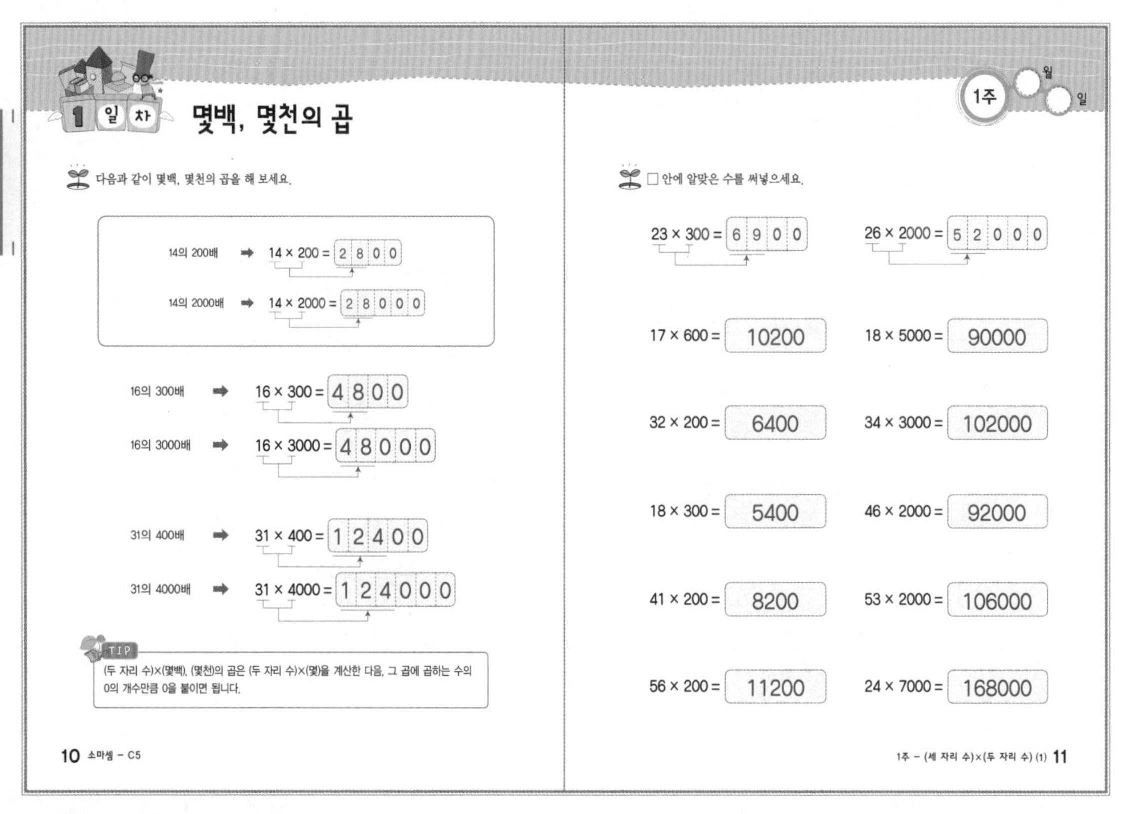

1일차 몇백, 몇천의 곱

다음과 같이 몇백, 몇천의 곱을 해 보세요.

14의 200배 ➡ 14 × 200 = 2800

14의 2000배 ➡ 14 × 2000 = 28000

16의 300배 ➡ 16 × 300 = 4800

16의 3000배 ➡ 16 × 3000 = 48000

31의 400배 ➡ 31 × 400 = 12400

31의 4000배 ➡ 31 × 4000 = 124000

TIP

(두 자리 수)×(몇백), (몇천)의 곱은 (두 자리 수)×(몇)을 계산한 다음, 그 곱에 곱하는 수의 0의 개수만큼 0을 붙이면 됩니다.

10 소마셈 – C5

1주 월 일

□ 안에 알맞은 수를 써넣으세요.

23 × 300 = 6900　　26 × 2000 = 52000

17 × 600 = 10200　　18 × 5000 = 90000

32 × 200 = 6400　　34 × 3000 = 102000

18 × 300 = 5400　　46 × 2000 = 92000

41 × 200 = 8200　　53 × 2000 = 106000

56 × 200 = 11200　　24 × 7000 = 168000

1주 – (세 자리 수)×(두 자리 수) (1) 11

P 12 ~ 13

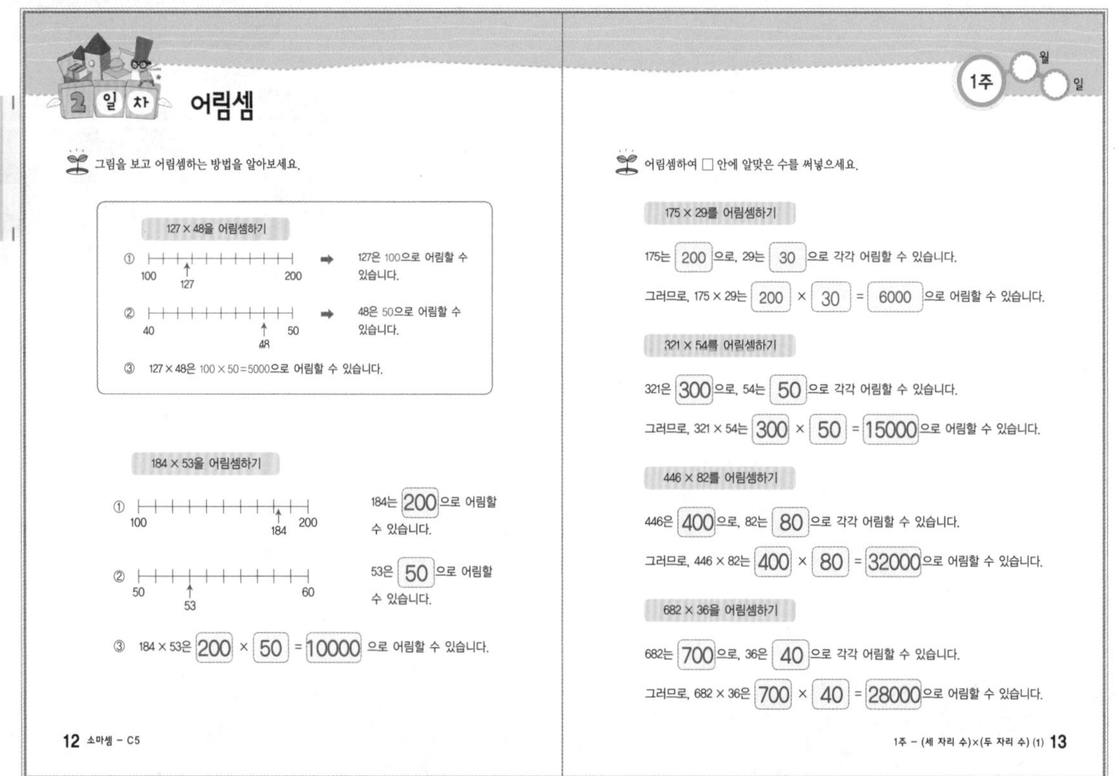

2일차 어림셈

그림을 보고 어림셈하는 방법을 알아보세요.

127 × 48을 어림셈하기

① 127은 100으로 어림할 수 있습니다.

② 48은 50으로 어림할 수 있습니다.

③ 127 × 48은 100 × 50 = 5000으로 어림할 수 있습니다.

184 × 53을 어림셈하기

① 184는 200으로 어림할 수 있습니다.

② 53은 50으로 어림할 수 있습니다.

③ 184 × 53은 200 × 50 = 10000 으로 어림할 수 있습니다.

12 소마셈 – C5

1주 월 일

어림셈하여 □ 안에 알맞은 수를 써넣으세요.

175 × 29를 어림셈하기

175는 200으로, 29는 30으로 각각 어림할 수 있습니다.

그러므로, 175 × 29는 200 × 30 = 6000으로 어림할 수 있습니다.

321 × 54를 어림셈하기

321은 300으로, 54는 50으로 각각 어림할 수 있습니다.

그러므로, 321 × 54는 300 × 50 = 15000으로 어림할 수 있습니다.

446 × 82를 어림셈하기

446은 400으로, 82는 80으로 각각 어림할 수 있습니다.

그러므로, 446 × 82는 400 × 80 = 32000으로 어림할 수 있습니다.

682 × 36을 어림셈하기

682는 700으로, 36은 40으로 각각 어림할 수 있습니다.

그러므로, 682 × 36은 700 × 40 = 28000으로 어림할 수 있습니다.

1주 – (세 자리 수)×(두 자리 수) (1) 13

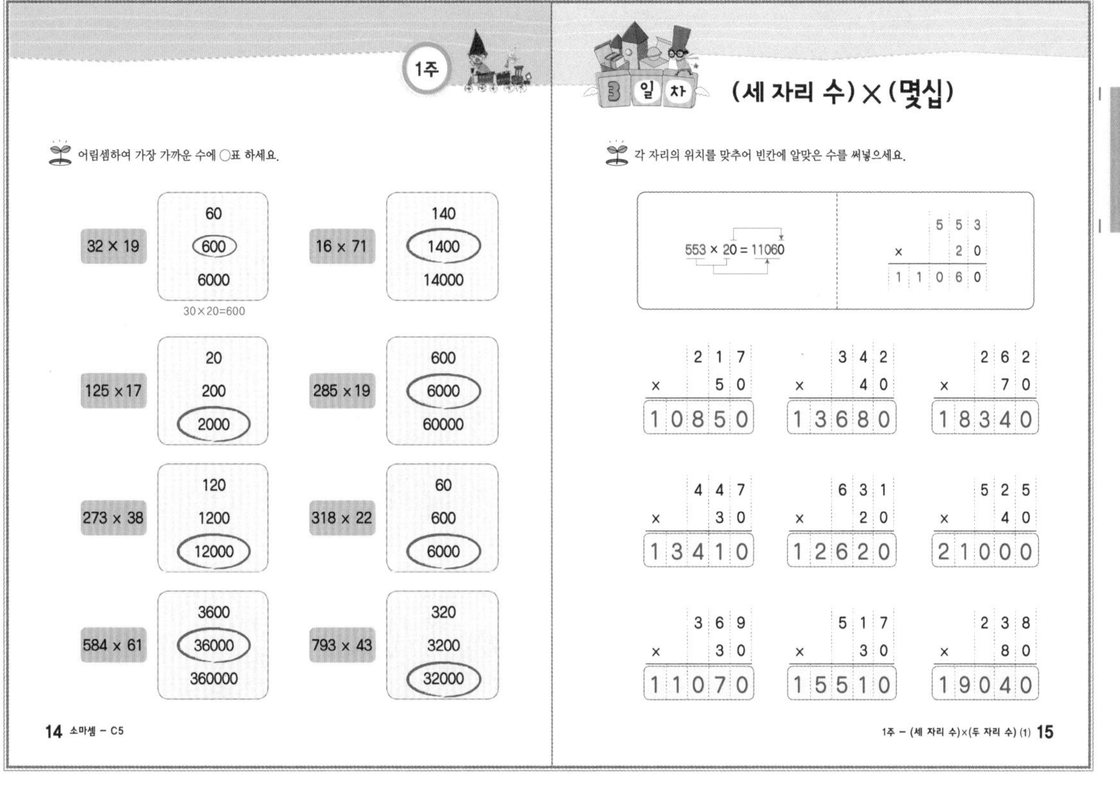
1주

어림셈하여 가장 가까운 수에 ○표 하세요.

32 × 19	60 / (600) / 6000
16 × 71	140 / (1400) / 14000
125 × 17	20 / 200 / (2000)
285 × 19	600 / (6000) / 60000
273 × 38	120 / 1200 / (12000)
318 × 22	60 / 600 / (6000)
584 × 61	3600 / (36000) / 360000
793 × 43	320 / 3200 / (32000)

30×20=600

3일차 (세 자리 수) × (몇십)

각 자리의 위치를 맞추어 빈칸에 알맞은 수를 써넣으세요.

553 × 20 = 11060

553 × 20 = 11060 (세로셈)

217 × 50	10850
342 × 40	13680
262 × 70	18340
447 × 30	13410
631 × 20	12620
525 × 40	21000
369 × 30	11070
517 × 30	15510
238 × 80	19040

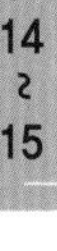

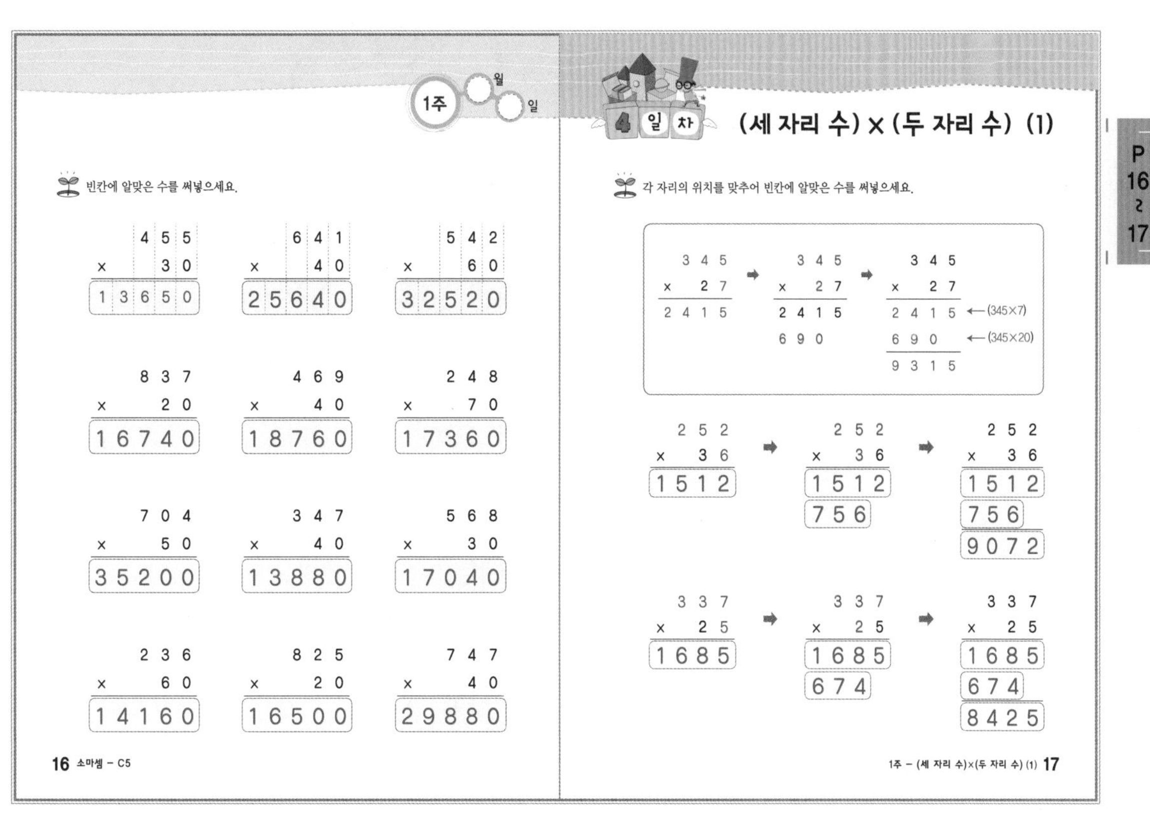
1주 월 일

빈칸에 알맞은 수를 써넣으세요.

455 × 30	13650
641 × 40	25640
542 × 60	32520
837 × 20	16740
469 × 40	18760
248 × 70	17360
704 × 50	35200
347 × 40	13880
568 × 30	17040
236 × 60	14160
825 × 20	16500
747 × 40	29880

4일차 (세 자리 수) × (두 자리 수) (1)

각 자리의 위치를 맞추어 빈칸에 알맞은 수를 써넣으세요.

345 × 27: 2415 ← (345×7), 690 ← (345×20), 9315

곱셈	1단계	2단계	답
252 × 36	1512	756	9072
337 × 25	1685	674	8425

P 16 ~ 17

P 18 ~ 19

신나는 연산!

빈칸에 알맞은 수를 써넣으세요.

곱셈	첫째 줄	둘째 줄	답
226 × 34	904	678	7684
458 × 21	458	916	9618
369 × 32	738	1107	11808
355 × 46	2130	1420	16330
614 × 37	4298	1842	22718
605 × 29	5445	1210	17545
754 × 16	4524	754	12064
553 × 26	3318	1106	14378
286 × 42	572	1144	12012

1주 월 일

빈칸에 알맞은 수를 써넣으세요.

곱셈	첫째 줄	둘째 줄	답
169 × 52	338	845	8788
264 × 38	2112	792	10032
508 × 24	2032	1016	12192
428 × 34	1712	1284	14552
663 × 19	5967	663	12597
291 × 53	873	1455	15423
638 × 27	4466	1276	17226
578 × 46	3468	2312	26588
351 × 72	702	2457	25272

P 20 ~ 21

5일차 (세 자리 수) × (두 자리 수) (2)

각 자리의 위치를 맞추어 빈칸에 알맞은 수를 써넣으세요.

곱셈	첫째 줄	둘째 줄	답
334 × 45	1670	1336	15030
339 × 18	2712	339	6102
167 × 33	501	501	5511
415 × 42	830	1660	17430
184 × 27	1288	368	4968
339 × 16	2034	339	5424
458 × 32	916	1374	14656
517 × 27	3619	1034	13959
622 × 19	5598	622	11818

1주 월 일

각 자리의 위치를 맞추어 빈칸에 알맞은 수를 써넣으세요.

곱셈	첫째 줄	둘째 줄	답
164 × 53	492	820	8692
256 × 32	512	768	8192
414 × 68	3312	2484	28152
532 × 27	3724	1064	14364
409 × 64	1636	2454	26176
632 × 23	1896	1264	14536
842 × 19	7578	842	15998
274 × 35	1370	822	9590
207 × 53	621	1035	10971

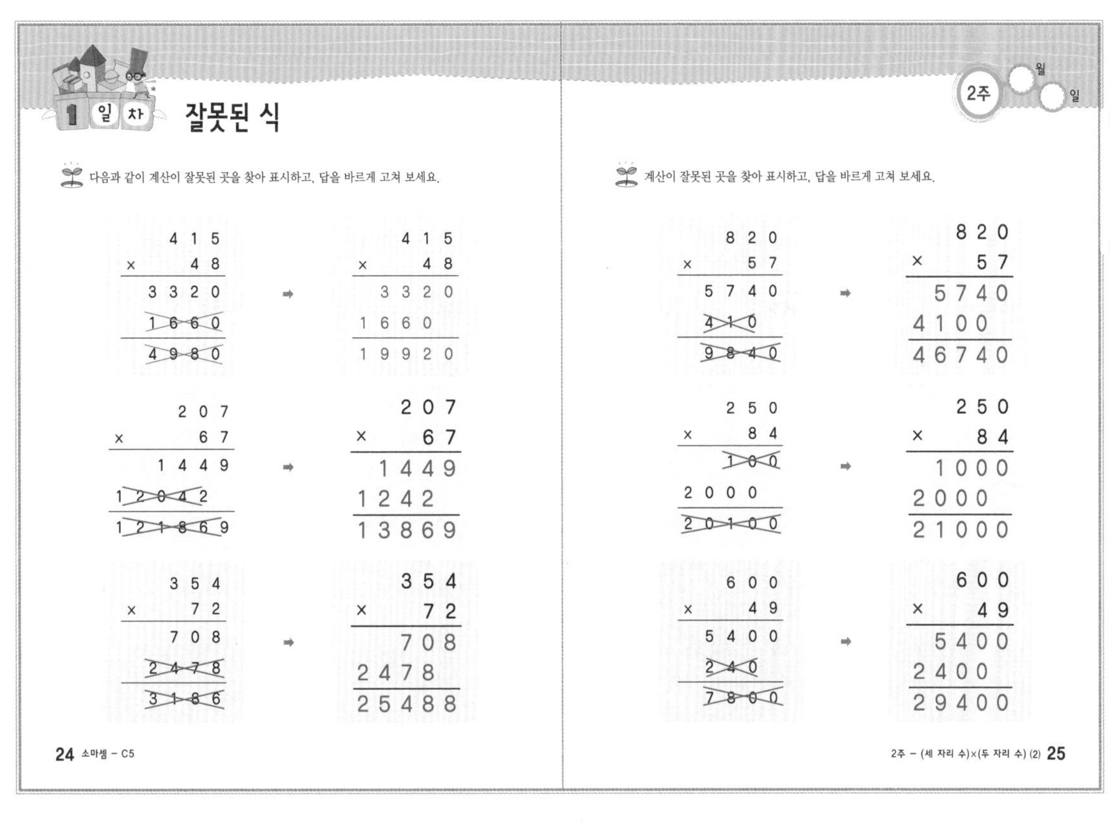
1 일 차
잘못된 식
다음과 같이 계산이 잘못된 곳을 찾아 표시하고, 답을 바르게 고쳐 보세요.
2주
월
일
계산이 잘못된 곳을 찾아 표시하고, 답을 바르게 고쳐 보세요.
P 24 ~ 25
24 소마셈 - C5
2주 - (세 자리 수)×(두 자리 수) (2) 25

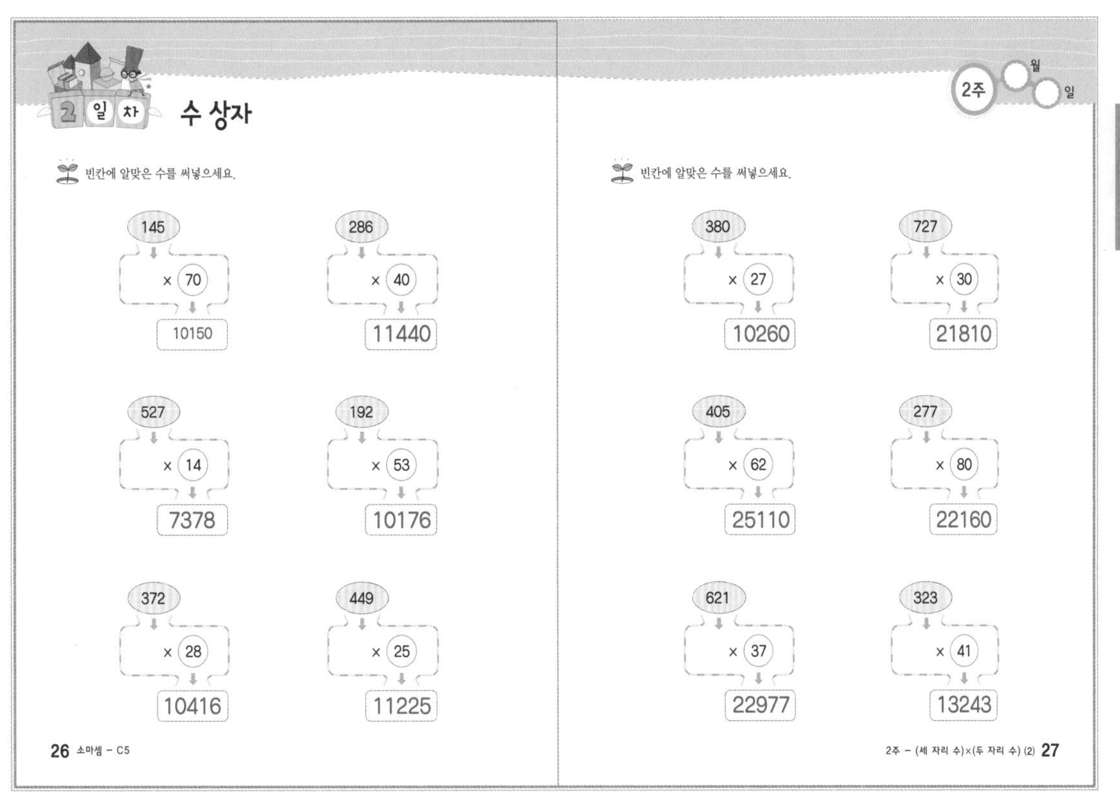
2 일 차
수 상자
빈칸에 알맞은 수를 써넣으세요.
2주
월
일
P 26 ~ 27
26 소마셈 - C5
2주 - (세 자리 수)×(두 자리 수) (2) 27

P 28 ~ 29

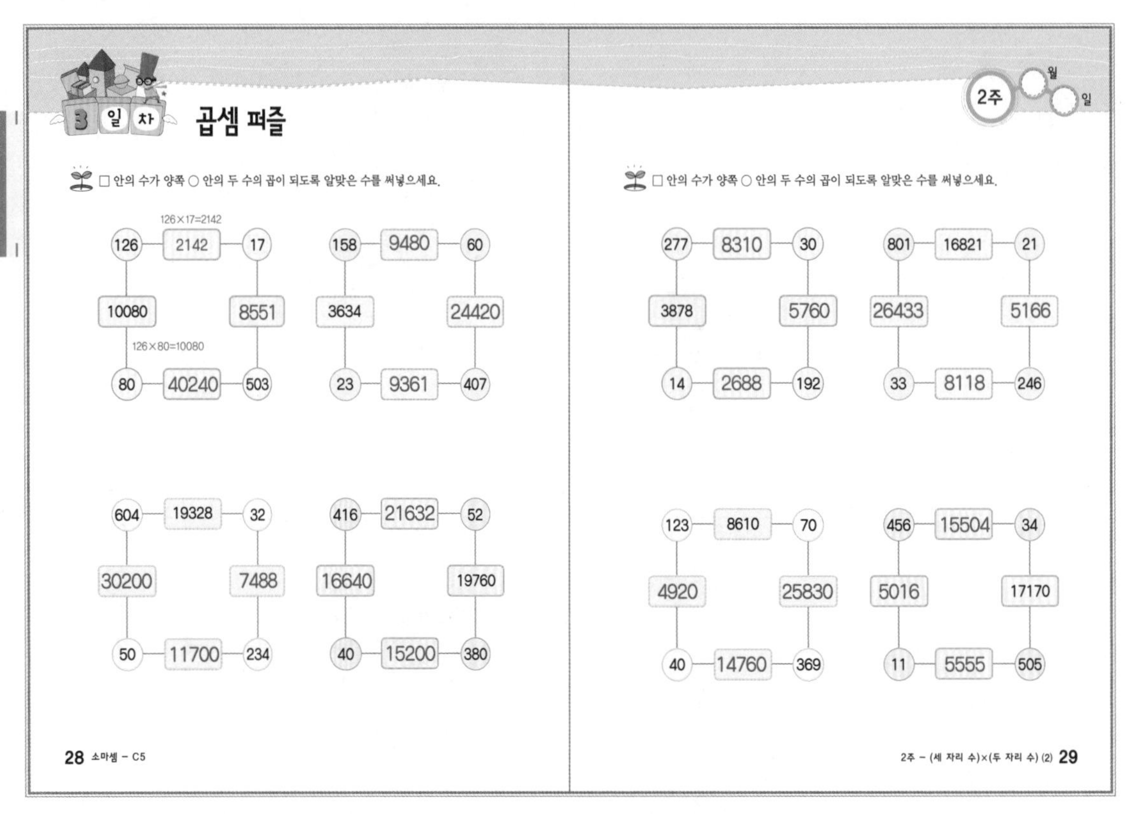

3 일 차 곱셈 퍼즐

□ 안의 수가 양쪽 ○ 안의 두 수의 곱이 되도록 알맞은 수를 써넣으세요.

126×17=2142

126 — 2142 — 17
10080 | 8551
126×80=10080
80 — 40240 — 503

158 — 9480 — 60
3634 | 24420
23 — 9361 — 407

604 — 19328 — 32
30200 | 7488
50 — 11700 — 234

416 — 21632 — 52
16640 | 19760
40 — 15200 — 380

28 소마셈 - C5

2주 ○월 ○일

□ 안의 수가 양쪽 ○ 안의 두 수의 곱이 되도록 알맞은 수를 써넣으세요.

277 — 8310 — 30
3878 | 5760
14 — 2688 — 192

801 — 16821 — 21
26433 | 5166
33 — 8118 — 246

123 — 8610 — 70
4920 | 25830
40 — 14760 — 369

456 — 15504 — 34
5016 | 17170
11 — 5555 — 505

2주 - (세 자리 수)×(두 자리 수) (2) 29

P 30 ~ 31

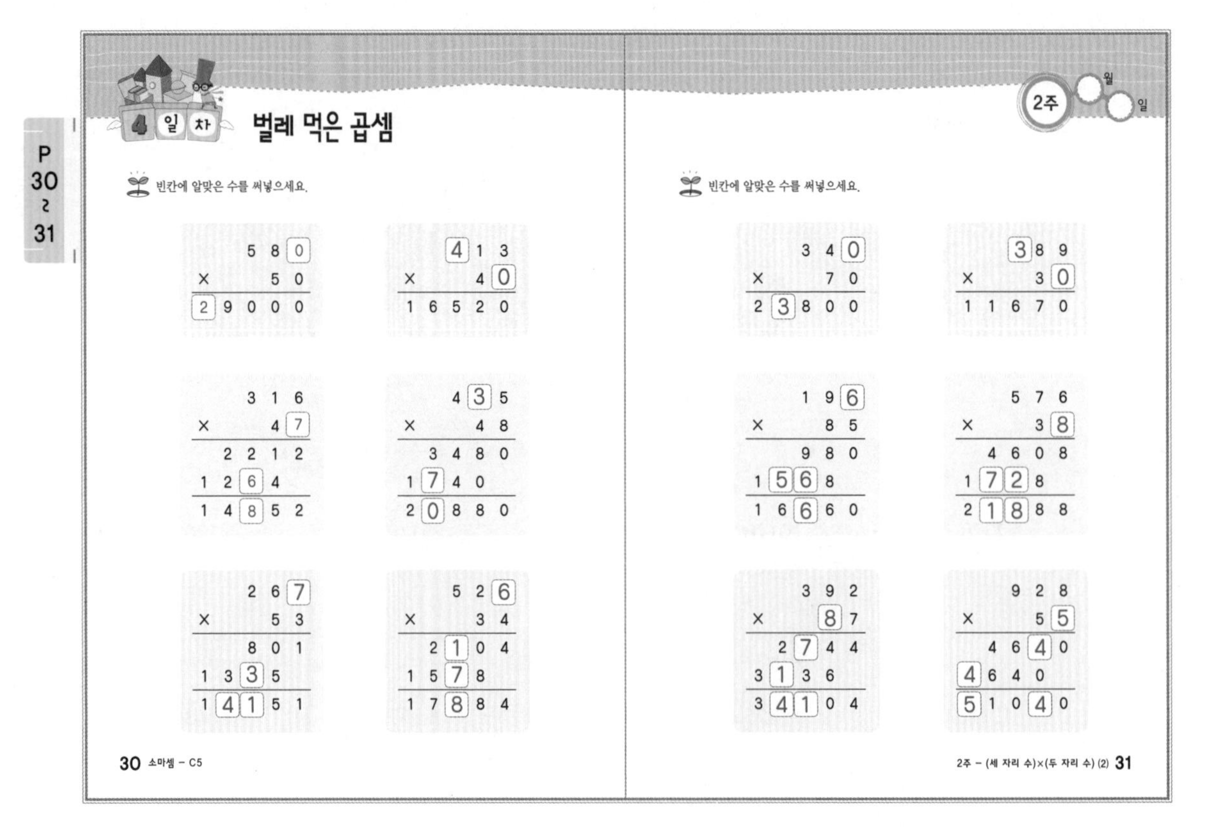

4 일 차 벌레 먹은 곱셈

빈칸에 알맞은 수를 써넣으세요.

```
    5 8 0
×     5 0
2 9 0 0 0
```

```
    4 1 3
×     4 0
1 6 5 2 0
```

```
    3 1 6
×     4 7
  2 2 1 2
1 2 6 4
1 4 8 5 2
```

```
    4 3 5
×     4 8
  3 4 8 0
1 7 4 0
2 0 8 8 0
```

```
    2 6 7
×     5 3
    8 0 1
1 3 3 5
1 4 1 5 1
```

```
    5 2 6
×     3 4
  2 1 0 4
1 5 7 8
1 7 8 8 4
```

30 소마셈 - C5

2주 ○월 ○일

빈칸에 알맞은 수를 써넣으세요.

```
    3 4 0
×     7 0
2 3 8 0 0
```

```
    3 8 9
×     3 0
1 1 6 7 0
```

```
    1 9 6
×     8 5
    9 8 0
1 5 6 8
1 6 6 6 0
```

```
    5 7 6
×     3 8
  4 6 0 8
1 7 2 8
2 1 8 8 8
```

```
    3 9 2
×     8 7
  2 7 4 4
3 1 3 6
3 4 1 0 4
```

```
    9 2 8
×     5 5
  4 6 4 0
4 6 4 0
5 1 0 4 0
```

2주 - (세 자리 수)×(두 자리 수) (2) 31

빈칸에 알맞은 수를 써넣으세요.

```
    8 7 5          8 2 3
×     4 0      ×     4 0
3 5 0 0 0      3 2 9 2 0

    1 4 7          7 0 4
×     8 7      ×     3 5
  1 0 2 9        3 5 2 0
1 1 7 6        2 1 1 2
1 2 7 8 9      2 4 6 4 0

    4 1 3          5 2 9
×     6 7      ×     2 9
  2 8 9 1        4 7 6 1
2 4 7 8        1 0 5 8
2 7 6 7 1      1 5 3 4 1
```


5 일 차 문장제

다음을 읽고 알맞은 곱셈식을 쓰고, 답을 구하세요.

정은이네 농장에서 토끼를 기르는 데 하루에 463개의 당근을 먹이로 준다고 합니다. 20일 동안 먹이로 준 당근은 모두 몇 개일까요?

식 : $463 \times 20 = 9260$ 9260 개

어느 공장에서 장난감 인형을 한 개 만드는데 드는 돈은 635원입니다. 이 공장에서 장난감 인형을 17개 만드는데 드는 돈은 모두 얼마일까요?

식 : $635 \times 17 = 10795$ 10795 원

다음을 읽고 알맞은 곱셈식을 쓰고, 답을 구하세요.

희주는 한 장에 270원인 색도화지를 한 묶음에 10장씩 2묶음과 낱개 7장을 샀습니다. 도화지 값은 모두 얼마일까요?

식 : $270 \times 27 = 7290$ 7290 원

공장에서 컴퓨터를 하루에 73대씩 생산한다고 합니다. 1년을 365일로 계산한다면, 이 공장에서 1년 동안 생산하는 컴퓨터는 모두 몇 대일까요?

식 : $73 \times 365 = 26645$ 26645 대

2주 월 일

다음을 읽고 알맞은 곱셈식을 쓰고, 답을 구하세요.

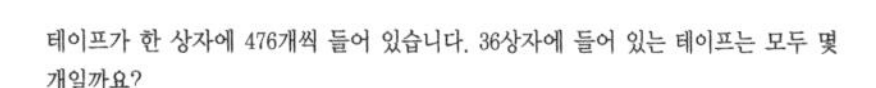

테이프가 한 상자에 476개씩 들어 있습니다. 36상자에 들어 있는 테이프는 모두 몇 개일까요?

식 : $476 \times 36 = 17136$ 17136 개

준희네 학교 학생들 240명은 일년 동안 각각 25권씩 책을 읽었습니다. 준희네 학교 학생들이 일년 동안 읽은 책은 모두 몇 권일까요?

식 : $240 \times 25 = 6000$ 6000 권

경호는 한 권에 326원인 공책을 한 묶음에 10권씩 3묶음과 낱개 4권을 샀습니다. 공책 값은 모두 얼마일까요?

식 : $326 \times 34 = 11084$ 11084 원

P 36

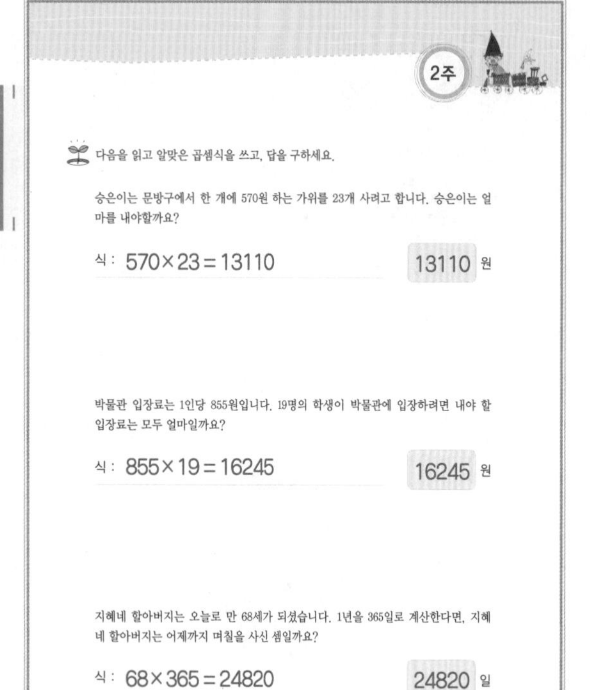

2주

다음을 읽고 알맞은 곱셈식을 쓰고, 답을 구하세요.

승은이는 문방구에서 한 개에 570원 하는 가위를 23개 사려고 합니다. 승은이는 얼마를 내야할까요?

식 : 570×23=13110 　 13110 원

박물관 입장료는 1인당 855원입니다. 19명의 학생이 박물관에 입장하려면 내야 할 입장료는 모두 얼마일까요?

식 : 855×19=16245 　 16245 원

지혜네 할아버지는 오늘로 만 68세가 되셨습니다. 1년을 365일로 계산한다면, 지혜네 할아버지는 어제까지 며칠을 사신 셈일까요?

식 : 68×365=24820 　 24820 일

36 소마셈 - C5

P 38 ~ 39

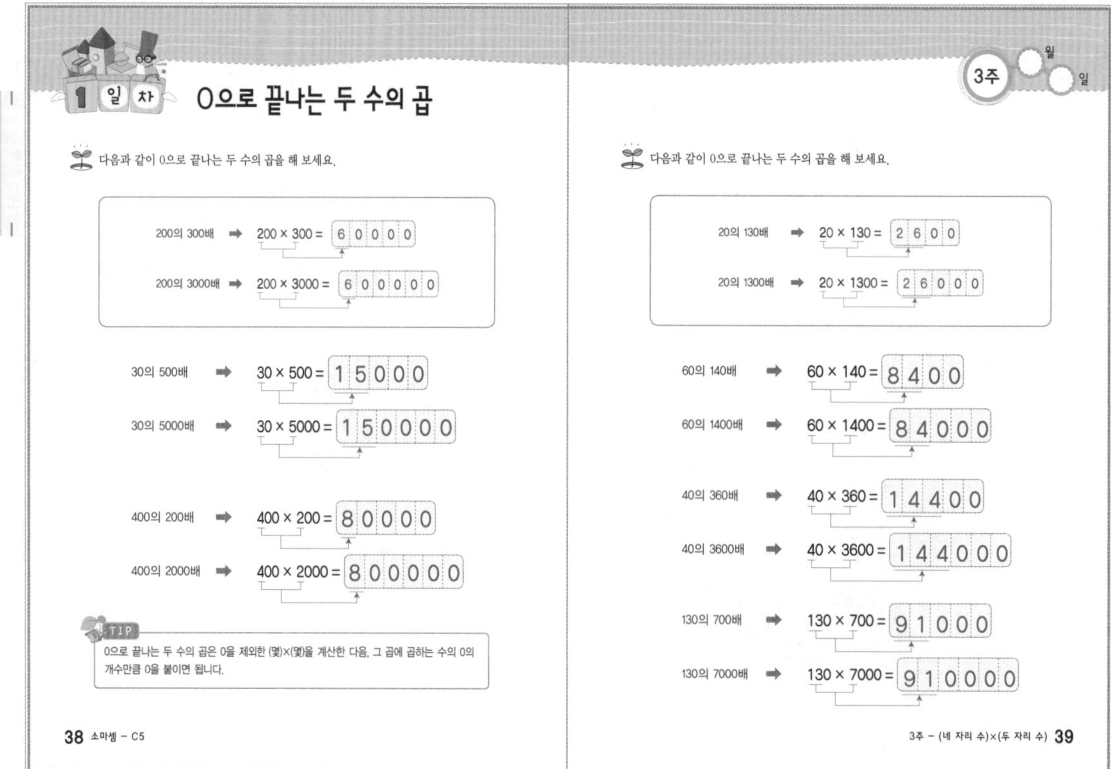

1일차 0으로 끝나는 두 수의 곱

다음과 같이 0으로 끝나는 두 수의 곱을 해 보세요.

200의 300배 ➡ 200 × 300 = 60000

200의 3000배 ➡ 200 × 3000 = 600000

30의 500배 ➡ 30 × 500 = 15000

30의 5000배 ➡ 30 × 5000 = 150000

400의 200배 ➡ 400 × 200 = 80000

400의 2000배 ➡ 400 × 2000 = 800000

TIP
0으로 끝나는 두 수의 곱은 0을 제외한 (몇)×(몇)을 계산한 다음, 그 곱에 곱하는 수의 0의 개수만큼 0을 붙이면 됩니다.

38 소마셈 - C5

3주 　일 　일

다음과 같이 0으로 끝나는 두 수의 곱을 해 보세요.

20의 130배 ➡ 20 × 130 = 2600

20의 1300배 ➡ 20 × 1300 = 26000

60의 140배 ➡ 60 × 140 = 8400

60의 1400배 ➡ 60 × 1400 = 84000

40의 360배 ➡ 40 × 360 = 14400

40의 3600배 ➡ 40 × 3600 = 144000

130의 700배 ➡ 130 × 700 = 91000

130의 7000배 ➡ 130 × 7000 = 910000

3주 - (네 자리 수)×(두 자리 수) 39

□ 안에 알맞은 수를 써넣으세요.

70 × 600 = 42000 | 30 × 1300 = 39000

50 × 300 = 15000 | 30 × 2600 = 78000

400 × 300 = 120000 | 140 × 300 = 42000

20 × 6000 = 120000 | 230 × 600 = 138000

60 × 720 = 43200 | 80 × 1200 = 96000

300 × 700 = 210000 | 600 × 3000 = 1800000

(네 자리 수) × (몇십)

각 자리의 위치를 맞추어 빈칸에 알맞은 수를 써넣으세요.

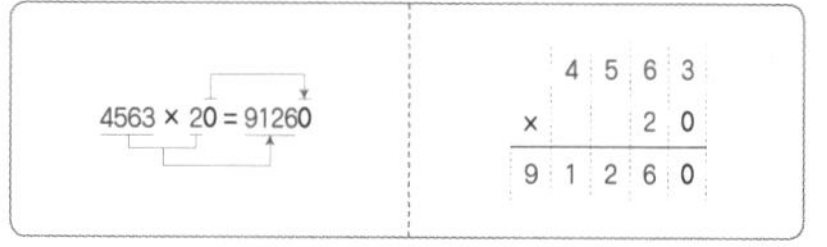
4563 × 20 = 91260

4563
× 20
91260

3923 × 30 = 117690 | 2761 × 60 = 165660 | 1834 × 50 = 91700

2553 × 70 = 178710 | 5154 × 40 = 206160 | 2762 × 60 = 165720

1468 × 80 = 117440 | 3257 × 30 = 97710 | 4215 × 50 = 210750

P 40 ~ 41

빈칸에 알맞은 수를 써넣으세요.

3452 × 60 = 207120 | 2068 × 40 = 82720 | 4522 × 30 = 135660

1824 × 70 = 127680 | 3284 × 20 = 65680 | 4481 × 50 = 224050

6235 × 20 = 124700 | 5849 × 30 = 175470 | 2666 × 60 = 159960

3793 × 50 = 189650 | 2863 × 80 = 229040 | 6174 × 40 = 246960

(네 자리 수) × (두 자리 수)

각 자리의 위치를 맞추어 빈칸에 알맞은 수를 써넣으세요.

2256 × 38: 18048 ➡ 18048, 6768 ➡ 18048, 6768, 85728

3742 × 26: 22452 ➡ 22452, 7484 ➡ 22452, 7484, 97292

5984 × 35: 29920 ➡ 29920, 17952 ➡ 29920, 17952, 209440

P 42 ~ 43

P 44~45

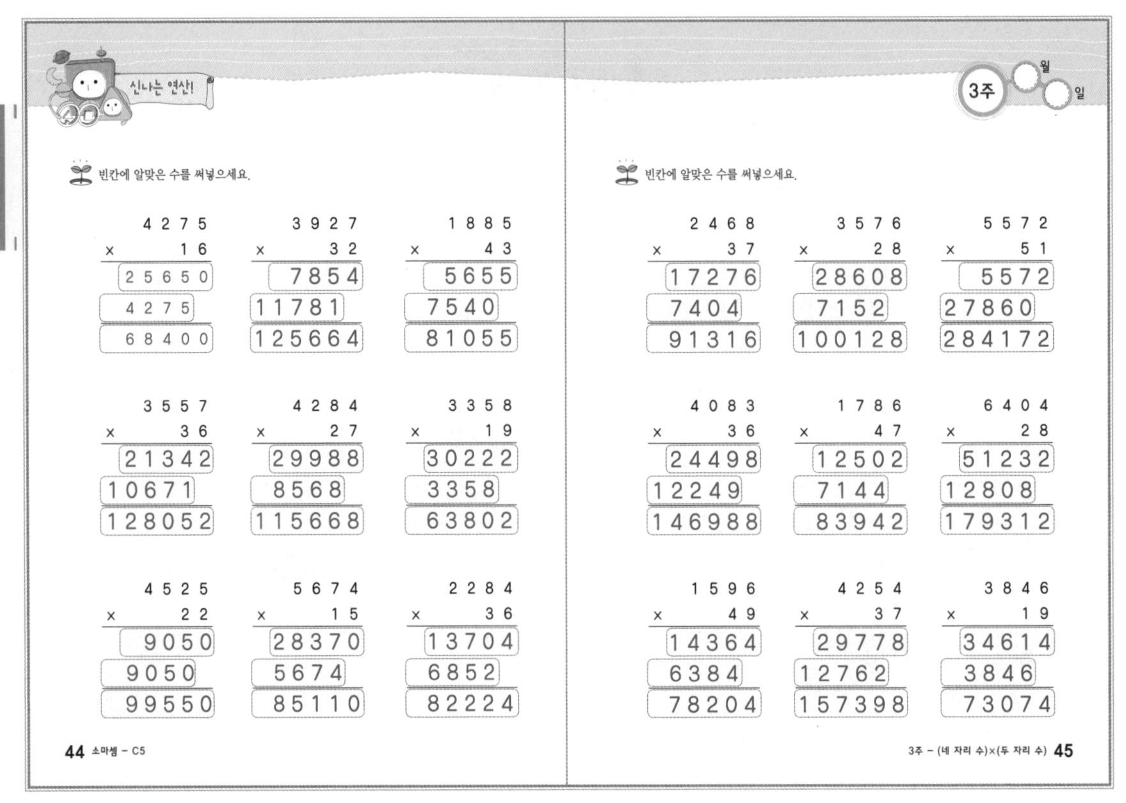

신나는 연산!

빈칸에 알맞은 수를 써넣으세요.

4275 × 16 : 25650, 4275, 68400

3927 × 32 : 7854, 11781, 125664

1885 × 43 : 5655, 7540, 81055

3557 × 36 : 21342, 10671, 128052

4284 × 27 : 29988, 8568, 115668

3358 × 19 : 30222, 3358, 63802

4525 × 22 : 9050, 9050, 99550

5674 × 15 : 28370, 5674, 85110

2284 × 36 : 13704, 6852, 82224

44 소마셈 – C5

3주 월 일

빈칸에 알맞은 수를 써넣으세요.

2468 × 37 : 17276, 7404, 91316

3576 × 28 : 28608, 7152, 100128

5572 × 51 : 5572, 27860, 284172

4083 × 36 : 24498, 12249, 146988

1786 × 47 : 12502, 7144, 83942

6404 × 28 : 51232, 12808, 179312

1596 × 49 : 14364, 6384, 78204

4254 × 37 : 29778, 12762, 157398

3846 × 19 : 34614, 3846, 73074

3주 – (네 자리 수)×(두 자리 수) 45

P 46~47

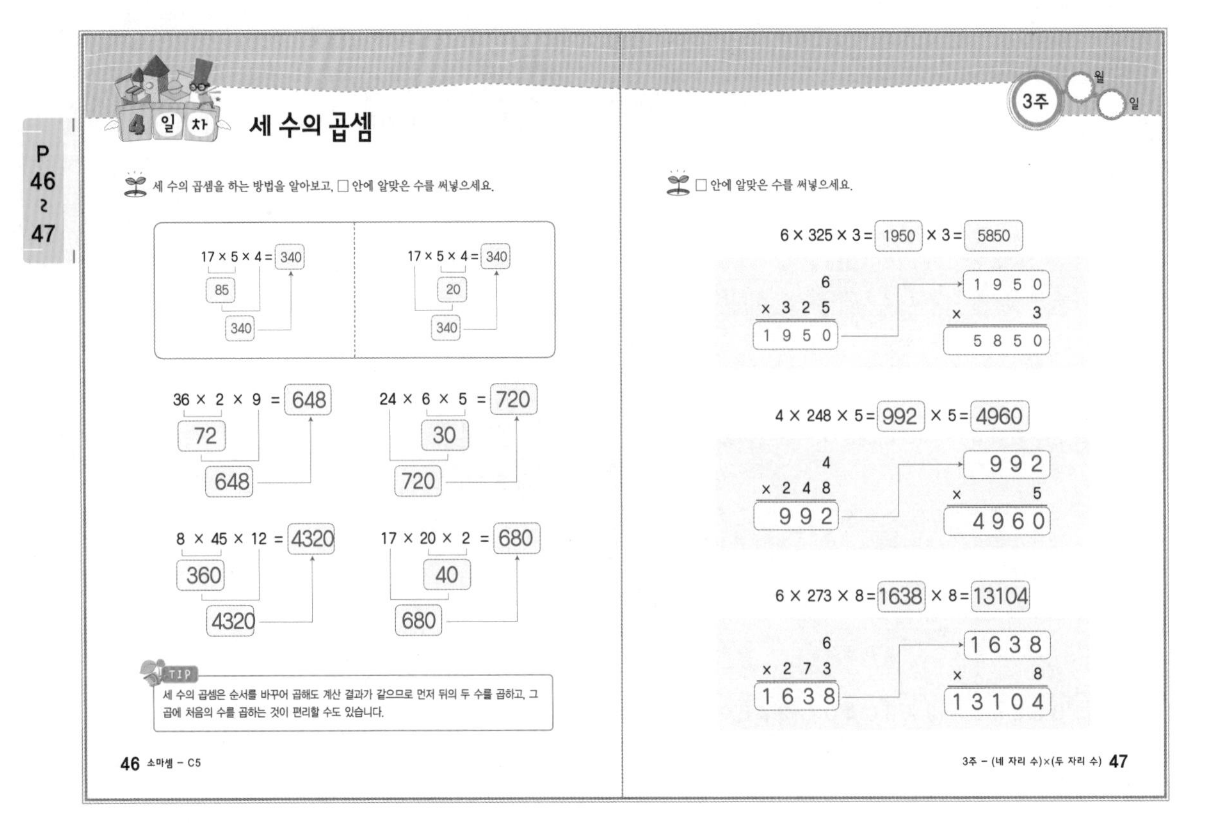

4일차 세 수의 곱셈

세 수의 곱셈을 하는 방법을 알아보고, □ 안에 알맞은 수를 써넣으세요.

17 × 5 × 4 = 340 (17 × 5 = 85, 85 × 4 = 340)

17 × 5 × 4 = 340 (5 × 4 = 20, 17 × 20 = 340)

36 × 2 × 9 = 648 (72, 648)

24 × 6 × 5 = 720 (30, 720)

8 × 45 × 12 = 4320 (360, 4320)

17 × 20 × 2 = 680 (40, 680)

TIP
세 수의 곱셈은 순서를 바꾸어 곱해도 계산 결과가 같으므로 먼저 뒤의 두 수를 곱하고, 그 곱에 처음의 수를 곱하는 것이 편리할 수도 있습니다.

46 소마셈 – C5

3주 월 일

□ 안에 알맞은 수를 써넣으세요.

6 × 325 × 3 = 1950 × 3 = 5850 (6 × 325 = 1950, 1950 × 3 = 5850)

4 × 248 × 5 = 992 × 5 = 4960 (4 × 248 = 992, 992 × 5 = 4960)

6 × 273 × 8 = 1638 × 8 = 13104 (6 × 273 = 1638, 1638 × 8 = 13104)

3주 – (네 자리 수)×(두 자리 수) 47

□ 안에 알맞은 수를 써넣으세요.

137 × 6 × 45 = 822 × 45 = 36990

$$\begin{array}{r} 137 \\ \times \quad 6 \\ \hline 822 \end{array} \qquad \begin{array}{r} 822 \\ \times \quad 45 \\ \hline 4110 \\ 3288 \\ \hline 36990 \end{array}$$

27 × 35 × 46 = 945 × 46 = 43470

$$\begin{array}{r} 27 \\ \times \; 35 \\ \hline 135 \\ 81 \\ \hline 945 \end{array} \qquad \begin{array}{r} 945 \\ \times \quad 46 \\ \hline 5670 \\ 3780 \\ \hline 43470 \end{array}$$

□ 안에 알맞은 수를 써넣으세요.

186 × 7 × 34 = 1302 × 34 = 44268

$$\begin{array}{r} 186 \\ \times \quad 7 \\ \hline 1302 \end{array} \qquad \begin{array}{r} 1302 \\ \times \quad 34 \\ \hline 5208 \\ 3906 \\ \hline 44268 \end{array}$$

47 × 28 × 52 = 1316 × 52 = 68432

$$\begin{array}{r} 47 \\ \times \; 28 \\ \hline 376 \\ 94 \\ \hline 1316 \end{array} \qquad \begin{array}{r} 1316 \\ \times \quad 52 \\ \hline 2632 \\ 6580 \\ \hline 68432 \end{array}$$

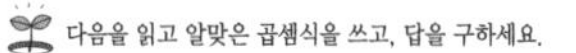

문장제

다음을 읽고 알맞은 곱셈식을 쓰고, 답을 구하세요.

옷 가게에서 티셔츠 한 장은 1564원입니다. 선주네 반 친구들 35명이 단체로 구입하여 함께 맞춰 입기로 했습니다. 티셔츠 값은 모두 얼마일까요?

식 : 1564 × 35 = 54740 — 54740 원

현지는 6명의 친구들과 각자 동화책을 하루에 27쪽씩 일주일 동안 읽기로 했습니다. 현지와 친구들이 일주일 동안 읽을 동화책은 모두 몇 쪽일까요?

식 : 7 × 27 × 7 = 1323 — 1323 쪽

다음을 읽고 알맞은 곱셈식을 쓰고, 답을 구하세요.

시험지를 한 시간에 2254장 인쇄할 수 있는 기계가 있습니다. 오늘 이 기계로 오전에는 4시간 동안 인쇄를 하고, 오후에는 6시간 동안 인쇄를 했습니다. 오늘 인쇄한 시험지는 모두 몇 장일까요?

식 : 2254 × 10 = 22540 — 22540 장

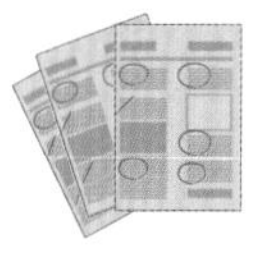

자전거를 한 대 팔면 이익이 5320원입니다. 자전거 38대를 팔면 이익은 모두 얼마일까요?

식 : 5320 × 38 = 202160 — 202160 원

정답

P 52 ~ 53

다음을 읽고 알맞은 곱셈식을 쓰고, 답을 구하세요.

형민이네 학교 학생은 1347명입니다. 형민이네 학교에서는 학생들에게 공책을 20권씩 나누어 주려고 합니다. 필요한 공책은 모두 몇 권일까요?

식 : $1347 \times 20 = 26940$ 26940 권

어느 공장에서 모자 한 개를 만드는 데 2631원이 듭니다. 모자 46개를 만드는 데 드는 비용은 모두 얼마일까요?

식 : $2631 \times 46 = 121026$ 121026 원

농장에 암탉이 34마리 있습니다. 암탉 한 마리가 일주일에 달걀을 5개씩 낳는다고 합니다. 이 암탉들이 25주 동안 달걀을 낳았다면 달걀은 모두 몇 개일까요?

식 : $34 \times 5 \times 25 = 4250$ 4250 개

다음을 읽고 알맞은 곱셈식을 쓰고, 답을 구하세요.

하은이네 과수원에서 수확한 자두는 한 상자에 5340원에 팝니다. 어제는 5상자를 팔고, 오늘은 7상자를 팔았습니다. 어제와 오늘 판매한 자두는 모두 얼마일까요?

식 : $5340 \times 12 = 64080$ 64080 원

정현이는 한 자루에 195원 하는 연필을 8타 샀습니다. 정현이가 낸 연필의 값은 얼마일까요?

식 : $195 \times 8 \times 12 = 18720$ 18720 원

과일 가게에서 멜론 한 개의 값은 4780원입니다. 이 과일 가게에서 판매하는 멜론 24개의 값은 얼마일까요?

식 : $4780 \times 24 = 114720$ 114720 원

52 소마셈 – C5 3주 – (네 자리 수)×(두 자리 수) 53

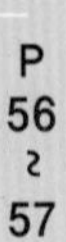

1 일 차 목표수 만들기

4주 월 일

수 카드 2장을 골라 곱셈식을 완성하세요.(단, 큰 수를 왼쪽에 씁니다.)

3, 15, 2, 18, 27 — $27 \times 3 = 81$

2, 6, 16, 24, 19 — $19 \times 6 = 114$

3, 8, 14, 34, 12 — $34 \times 3 = 102$

2, 21, 5, 13, 43 — $43 \times 2 = 86$

4, 31, 22, 8, 12 — $22 \times 8 = 176$

13, 17, 3, 5, 26 — $26 \times 5 = 130$

수 카드 2장을 골라 곱셈식을 완성하세요.(단, 큰 수를 왼쪽에 씁니다.)

10, 20, 30, 40, 50 — $30 \times 20 = 600$

10, 20, 15, 16, 36 — $16 \times 10 = 160$

11, 12, 10, 20, 30 — $30 \times 12 = 360$

10, 13, 16, 20, 25 — $25 \times 20 = 500$

14, 20, 30, 60, 12 — $30 \times 14 = 420$

10, 20, 34, 14, 25 — $34 \times 20 = 680$

56 소마셈 – C5 4주 – 곱셈식 만들기 57

숫자 카드를 모두 사용하여 곱셈식을 완성하세요.

3 6 7	67 × 3 = 201
2 4 8	28 × 4 = 112
1 5 9	51 × 9 = 459
2 3 6	62 × 3 = 186
1 2 5 6	165 × 2 = 330
1 3 4 7	147 × 3 = 441

2 일차 곱이 가장 큰 식 (1)

(두 자리 수)×(한 자리 수)에서 숫자 카드를 한번씩 사용하여 곱셈식을 만들 때, 곱을 가장 크게 만드는 방법을 알아보세요.

(1) 곱을 가장 크게 만들려면 색칠된 칸에 들어가야 할 수는 무엇인지 써 보세요.

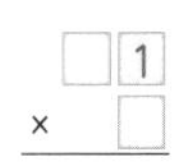

(2) 남은 수를 넣어서 만들 수 있는 두 가지 곱셈식을 계산하여 곱의 크기를 비교해 보세요.

71 × 3 = 213, 31 × 7 = 217 ➡ 가장 클 때: 31 × 7 = 217

숫자 카드를 한번씩 사용하여 만든 곱셈식 중에서 곱이 가장 클 때의 값을 구해보세요.

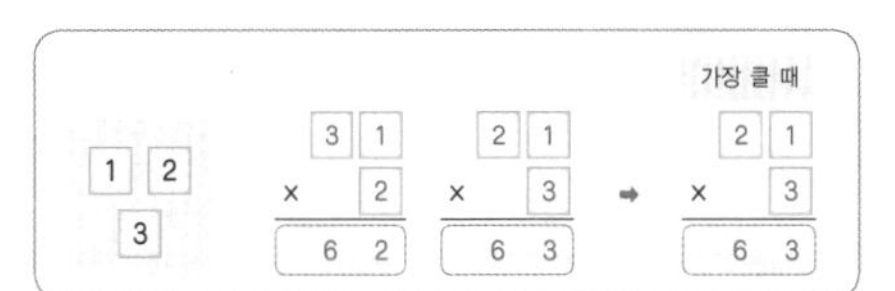

1 2 3: 31 × 2 = 62, 21 × 3 = 63 ➡ 가장 클 때: 21 × 3 = 63

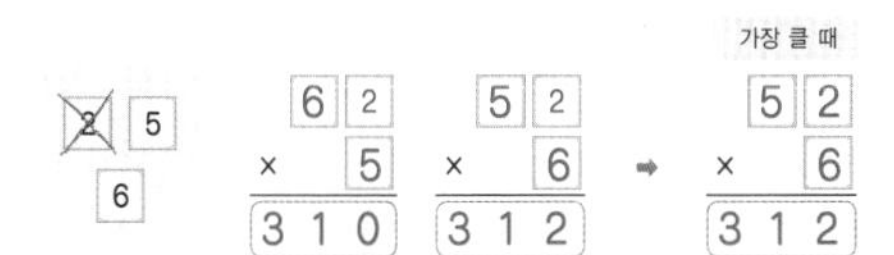

2 5 6 (2에 ×표): 62 × 5 = 310, 52 × 6 = 312 ➡ 가장 클 때: 52 × 6 = 312

3 8 7: 83 × 7 = 581, 73 × 8 = 584 ➡ 가장 클 때: 73 × 8 = 584

TIP
(두 자리 수)×(한 자리 수)에서 곱을 가장 크게 만들려면, 두 자리 수에서 십의 자리 수와 한 자리 수의 곱이 가장 커야 합니다. 이때 만들 수 있는 두 가지 경우를 비교해 보면, 곱하는 한 자리 수에 가장 큰 수가 올 때 곱이 가장 커짐을 알 수 있습니다.

4주 월 일

숫자 카드를 한번씩 사용하여 곱이 가장 클 때의 값을 구해보세요.

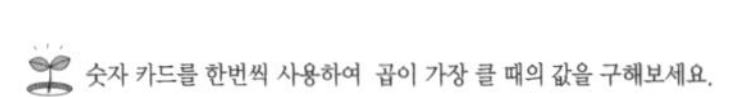

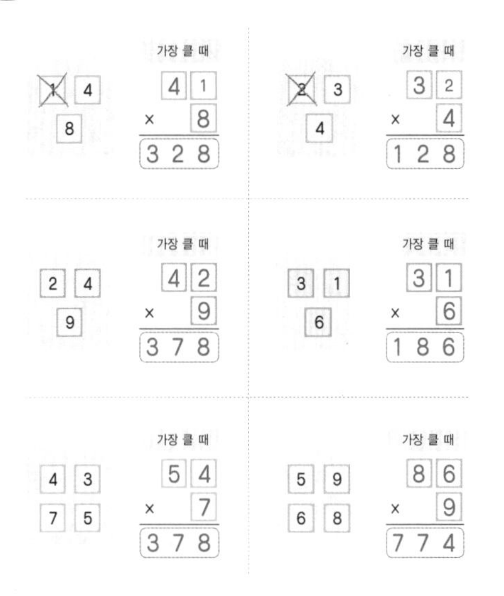

카드	가장 클 때
1 4 8 (1에 ×표)	41 × 8 = 328
2 3 4 (2에 ×표)	32 × 4 = 128
2 4 9	42 × 9 = 378
3 1 6	31 × 6 = 186
4 3 7 5	54 × 7 = 378
5 9 6 8	86 × 9 = 774

정답

P 62 ~ 63

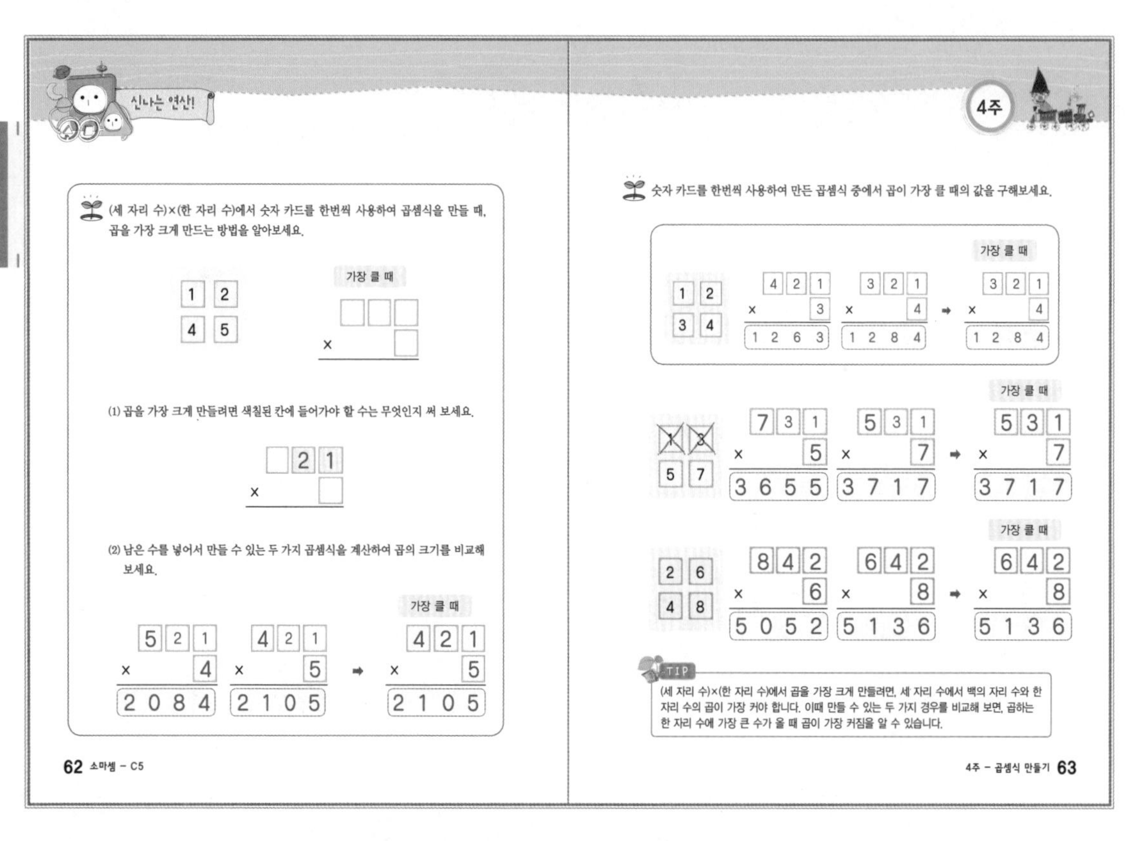
신나는 연산!
(세 자리 수)×(한 자리 수)에서 숫자 카드를 한번씩 사용하여 곱셈식을 만들 때, 곱을 가장 크게 만드는 방법을 알아보세요.
1 2
4 5
가장 클 때
(1) 곱을 가장 크게 만들려면 색칠된 칸에 들어가야 할 수는 무엇인지 써 보세요.
□21 × □
(2) 남은 수를 넣어서 만들 수 있는 두 가지 곱셈식을 계산하여 곱의 크기를 비교해 보세요.
521 × 4 = 2084
421 × 5 = 2105
가장 클 때: 421 × 5 = 2105
62 소마셈 - C5
4주
숫자 카드를 한번씩 사용하여 만든 곱셈식 중에서 곱이 가장 클 때의 값을 구해보세요.
1 2 / 3 4
421 × 3 = 1263
321 × 4 = 1284
가장 클 때: 321 × 4 = 1284
1 2 / 5 7
731 × 5 = 3655
531 × 7 = 3717
가장 클 때: 531 × 7 = 3717
2 6 / 4 8
842 × 6 = 5052
642 × 8 = 5136
가장 클 때: 642 × 8 = 5136
TIP
(세 자리 수)×(한 자리 수)에서 곱을 가장 크게 만들려면, 세 자리 수에서 백의 자리 수와 한 자리 수의 곱이 가장 커야 합니다. 이때 만들 수 있는 두 가지 경우를 비교해 보면, 곱하는 한 자리 수에 가장 큰 수가 올 때 곱이 가장 커짐을 알 수 있습니다.
4주 - 곱셈식 만들기 63

P 64 ~ 65

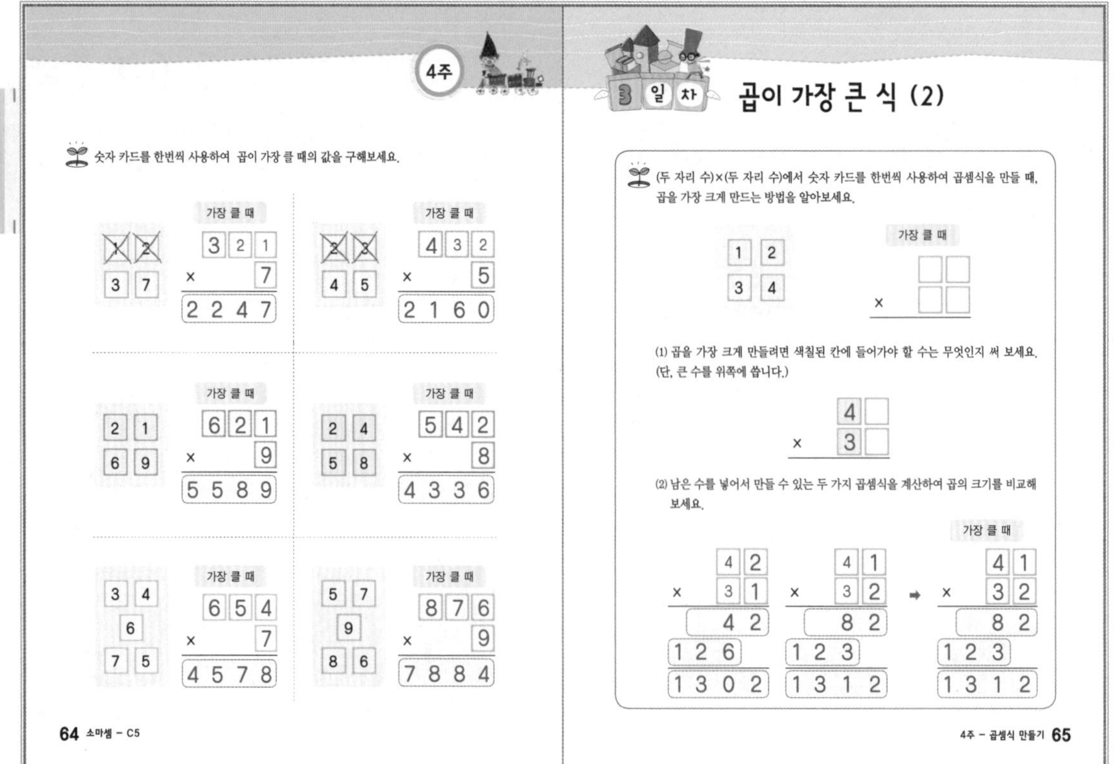
4주
숫자 카드를 한번씩 사용하여 곱이 가장 클 때의 값을 구해보세요.
가장 클 때
1 2 / 3 7: 321 × 7 = 2247
2 3 / 4 5: 432 × 5 = 2160
2 1 / 6 9: 621 × 9 = 5589
2 4 / 5 8: 542 × 8 = 4336
3 4 / 6 / 7 5: 654 × 7 = 4578
5 7 / 9 / 8 6: 876 × 9 = 7884
64 소마셈 - C5
3 일차
곱이 가장 큰 식 (2)
(두 자리 수)×(두 자리 수)에서 숫자 카드를 한번씩 사용하여 곱셈식을 만들 때, 곱을 가장 크게 만드는 방법을 알아보세요.
1 2
3 4
가장 클 때
(1) 곱을 가장 크게 만들려면 색칠된 칸에 들어가야 할 수는 무엇인지 써 보세요. (단, 큰 수를 위쪽에 씁니다.)
4□ × 3□
(2) 남은 수를 넣어서 만들 수 있는 두 가지 곱셈식을 계산하여 곱의 크기를 비교해 보세요.
42 × 31: 42, 126, 1302
41 × 32: 82, 123, 1312
가장 클 때: 41 × 32: 82, 123, 1312
4주 - 곱셈식 만들기 65

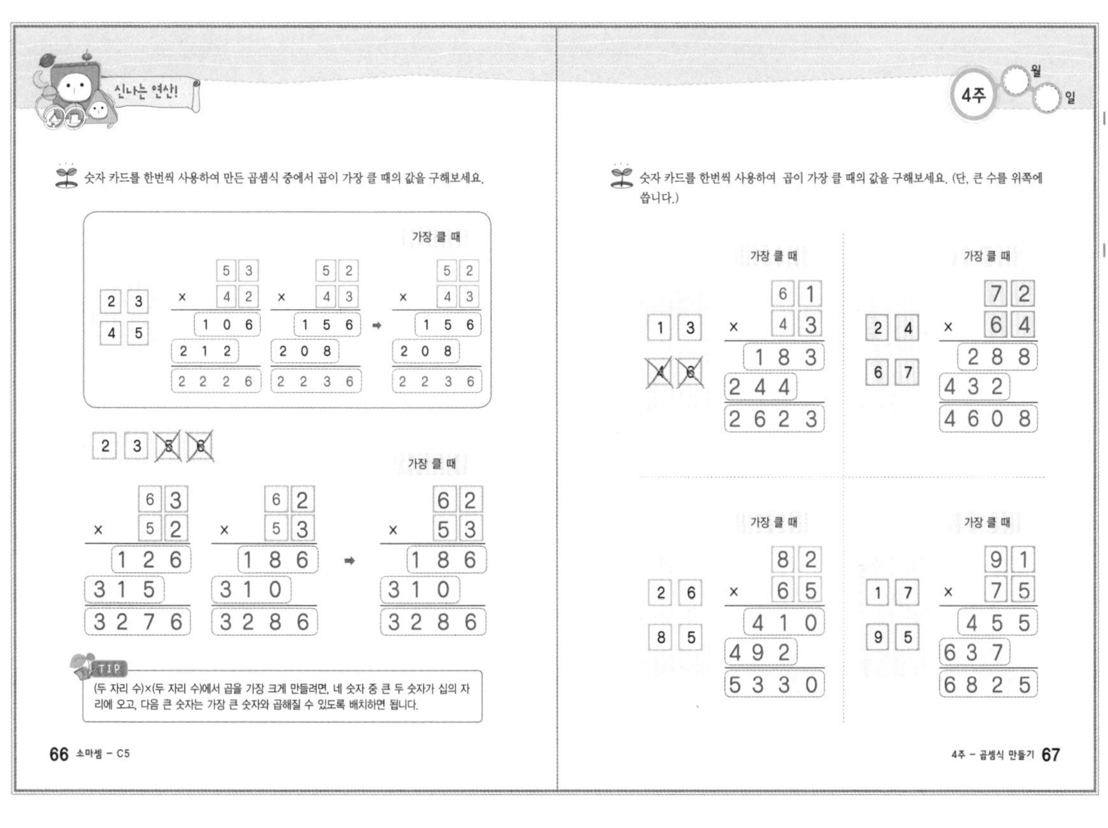
신나는 연산!

숫자 카드를 한번씩 사용하여 만든 곱셈식 중에서 곱이 가장 클 때의 값을 구해보세요.

2 3 4 5

53×42: 106, 212, 2226
52×43: 156, 208, 2236
➡ 가장 클 때 52×43: 156, 208, 2236

2 3 ~~5~~ ~~6~~

63×52: 126, 315, 3276
62×53: 186, 310, 3286
➡ 가장 클 때 62×53: 186, 310, 3286

TIP
(두 자리 수)×(두 자리 수)에서 곱을 가장 크게 만들려면, 네 숫자 중 큰 두 숫자가 십의 자리에 오고, 다음 큰 숫자는 가장 큰 숫자와 곱해질 수 있도록 배치하면 됩니다.

66 소마셈 - C5

4주 월 일

숫자 카드를 한번씩 사용하여 곱이 가장 클 때의 값을 구해보세요. (단, 큰 수를 위쪽에 씁니다.)

1 3 ~~4~~ ~~6~~ — 가장 클 때 61×43: 183, 244, 2623

2 4 6 7 — 가장 클 때 72×64: 288, 432, 4608

2 6 8 5 — 가장 클 때 82×65: 410, 492, 5330

1 7 9 5 — 가장 클 때 91×75: 455, 637, 6825

4주 - 곱셈식 만들기 67

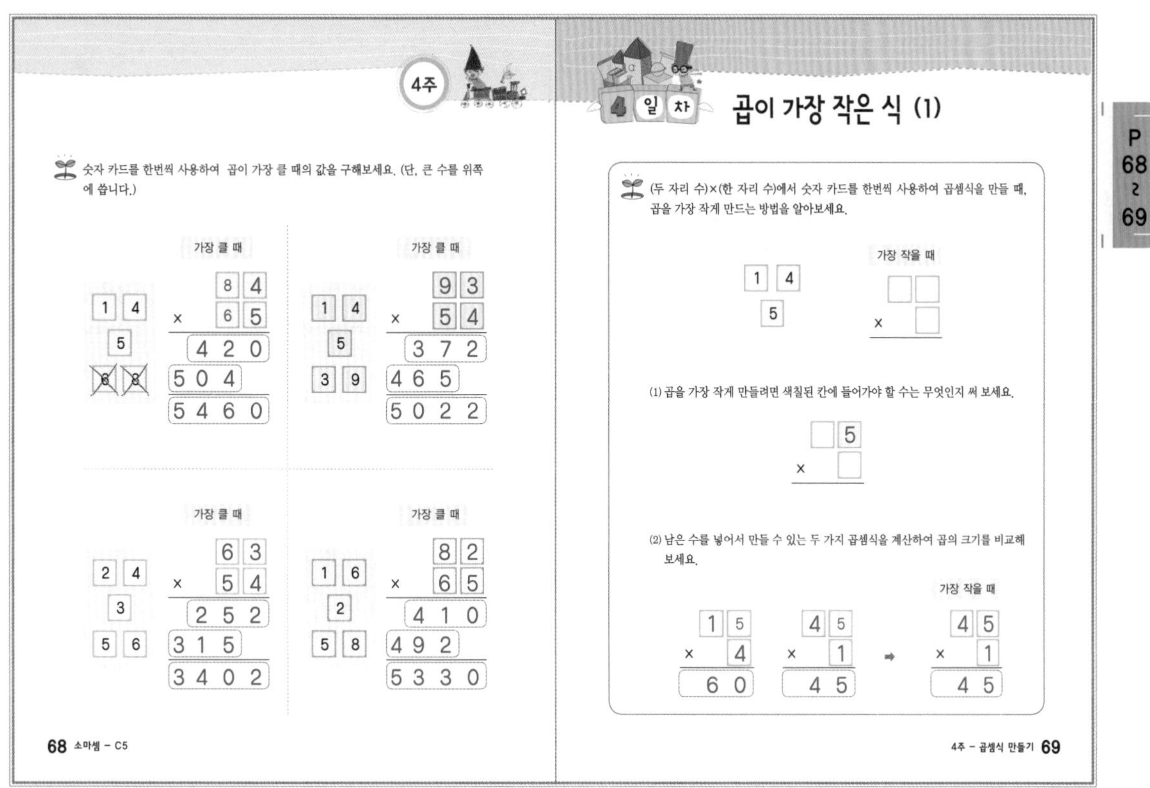
4주

숫자 카드를 한번씩 사용하여 곱이 가장 클 때의 값을 구해보세요. (단, 큰 수를 위쪽에 씁니다.)

1 4 5 ~~6~~ ~~8~~ — 가장 클 때 84×65: 420, 504, 5460

1 4 5 3 9 — 가장 클 때 93×54: 372, 465, 5022

2 4 3 5 6 — 가장 클 때 63×54: 252, 315, 3402

1 6 2 5 8 — 가장 클 때 82×65: 410, 492, 5330

68 소마셈 - C5

4 일 차

곱이 가장 작은 식 (1)

(두 자리 수)×(한 자리 수)에서 숫자 카드를 한번씩 사용하여 곱셈식을 만들 때, 곱을 가장 작게 만드는 방법을 알아보세요.

1 4 5 — 가장 작을 때 □□ × □

(1) 곱을 가장 작게 만들려면 색칠된 칸에 들어가야 할 수는 무엇인지 써 보세요.

□5 × □

(2) 남은 수를 넣어서 만들 수 있는 두 가지 곱셈식을 계산하여 곱의 크기를 비교해 보세요.

$15 \times 4 = 60$, $45 \times 1 = 45$ ➡ 가장 작을 때 $45 \times 1 = 45$

4주 - 곱셈식 만들기 69

P 70 ~ 71

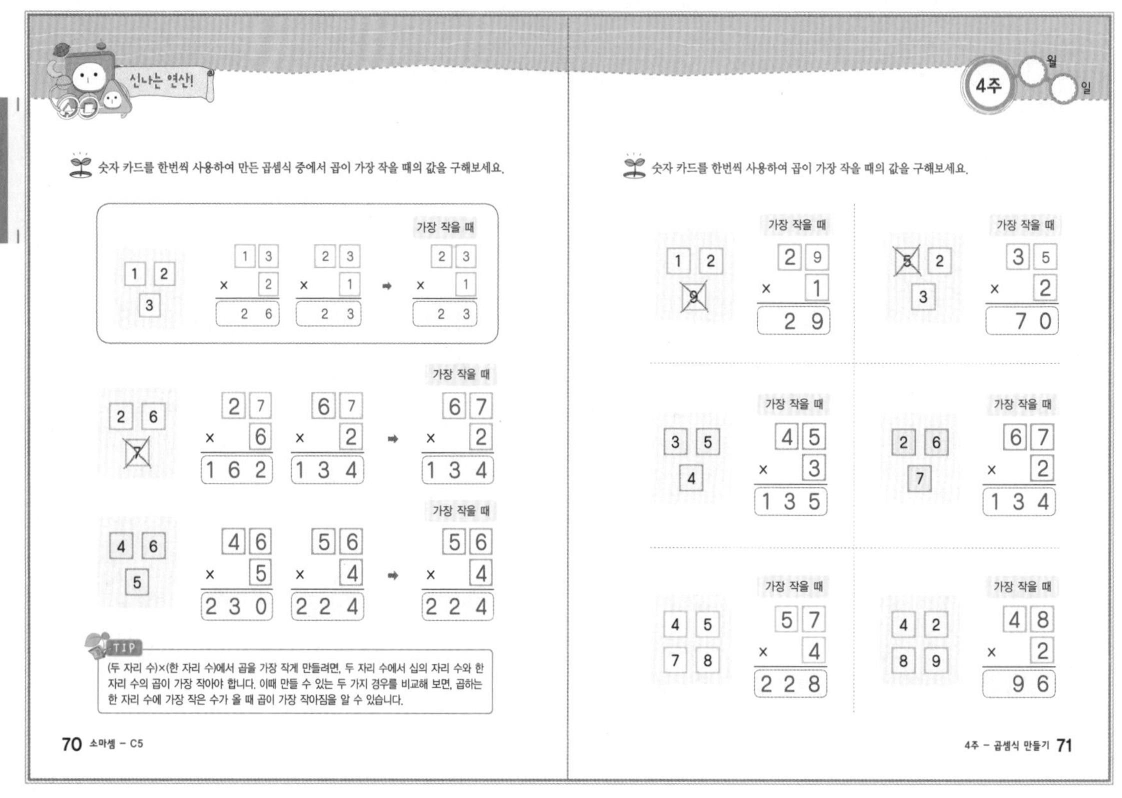

신나는 연산!

숫자 카드를 한번씩 사용하여 만든 곱셈식 중에서 곱이 가장 작을 때의 값을 구해보세요.

카드 1, 2, 3: 13 × 2 = 26, 23 × 1 = 23 ➡ 가장 작을 때: 23 × 1 = 23

카드 2, 6, 7(×): 27 × 6 = 162, 67 × 2 = 134 ➡ 가장 작을 때: 67 × 2 = 134

카드 4, 6, 5: 46 × 5 = 230, 56 × 4 = 224 ➡ 가장 작을 때: 56 × 4 = 224

TIP
(두 자리 수)×(한 자리 수)에서 곱을 가장 작게 만들려면, 두 자리 수에서 십의 자리 수와 한 자리 수의 곱이 가장 작아야 합니다. 이때 만들 수 있는 두 가지 경우를 비교해 보면, 곱하는 한 자리 수에 가장 작은 수가 올 때 곱이 가장 작아짐을 알 수 있습니다.

70 소마셈 - C5

4주 월 일

숫자 카드를 한번씩 사용하여 곱이 가장 작을 때의 값을 구해보세요.

카드 1, 2, 9(×): 가장 작을 때 29 × 1 = 29

카드 5(×), 2, 3: 가장 작을 때 35 × 2 = 70

카드 3, 5, 4: 가장 작을 때 45 × 3 = 135

카드 2, 6, 7: 가장 작을 때 67 × 2 = 134

카드 4, 5, 7, 8: 가장 작을 때 57 × 4 = 228

카드 4, 2, 8, 9: 가장 작을 때 48 × 2 = 96

4주 - 곱셈식 만들기 71

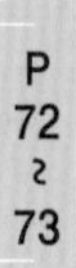

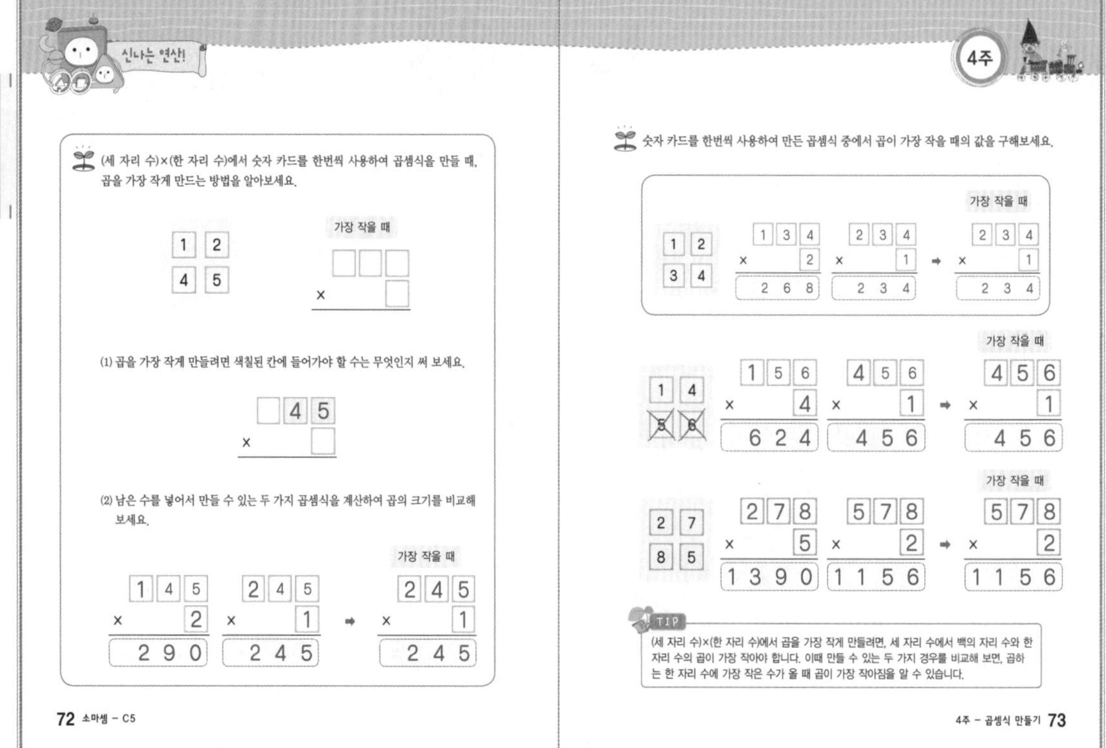

신나는 연산!

(세 자리 수)×(한 자리 수)에서 숫자 카드를 한번씩 사용하여 곱셈식을 만들 때, 곱을 가장 작게 만드는 방법을 알아보세요.

카드 1, 2, 4, 5 — 가장 작을 때: □□□ × □

(1) 곱을 가장 작게 만들려면 색칠된 칸에 들어가야 할 수는 무엇인지 써 보세요.

□45 × □

(2) 남은 수를 넣어서 만들 수 있는 두 가지 곱셈식을 계산하여 곱의 크기를 비교해 보세요.

145 × 2 = 290, 245 × 1 = 245 ➡ 가장 작을 때: 245 × 1 = 245

72 소마셈 - C5

4주

숫자 카드를 한번씩 사용하여 만든 곱셈식 중에서 곱이 가장 작을 때의 값을 구해보세요.

카드 1, 2, 3, 4: 134 × 2 = 268, 234 × 1 = 234 ➡ 가장 작을 때: 234 × 1 = 234

카드 1, 4, 5(×), 6(×): 156 × 4 = 624, 456 × 1 = 456 ➡ 가장 작을 때: 456 × 1 = 456

카드 2, 7, 8, 5: 278 × 5 = 1390, 578 × 2 = 1156 ➡ 가장 작을 때: 578 × 2 = 1156

TIP
(세 자리 수)×(한 자리 수)에서 곱을 가장 작게 만들려면, 세 자리 수에서 백의 자리 수와 한 자리 수의 곱이 가장 작아야 합니다. 이때 만들 수 있는 두 가지 경우를 비교해 보면, 곱하는 한 자리 수에 가장 작은 수가 올 때 곱이 가장 작아짐을 알 수 있습니다.

4주 - 곱셈식 만들기 73

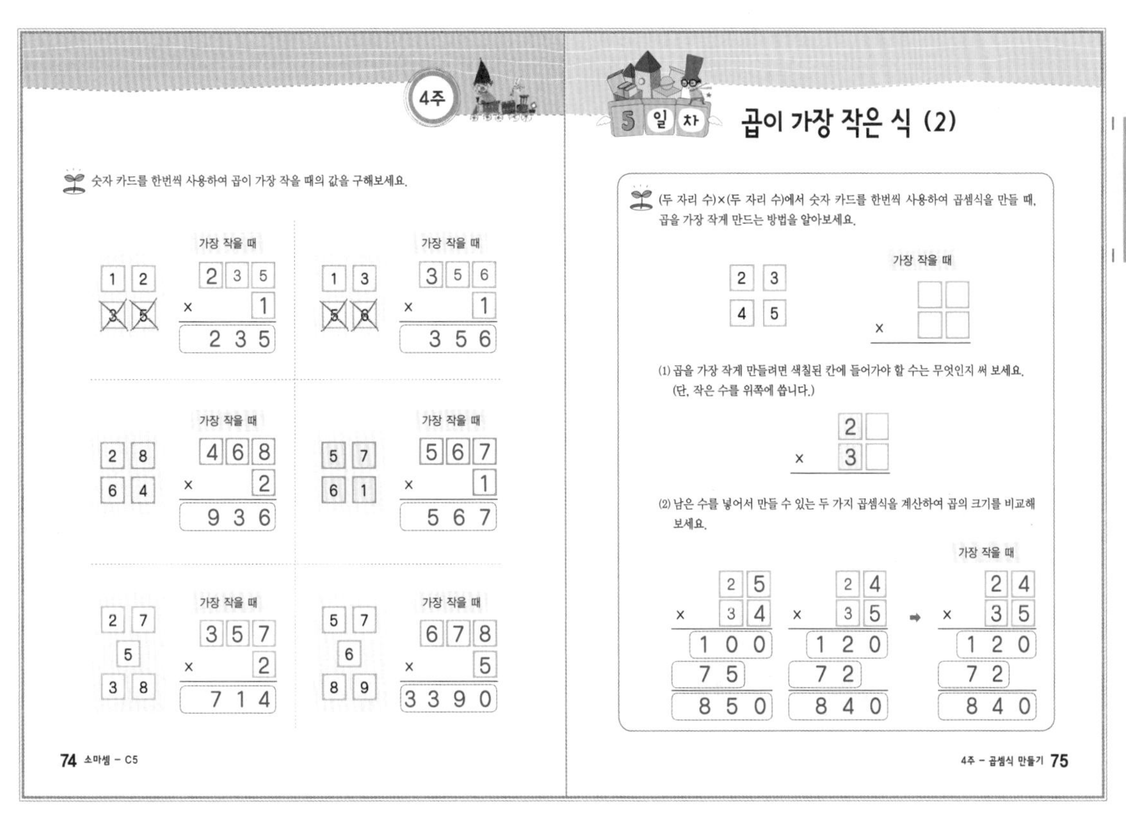

4주

숫자 카드를 한번씩 사용하여 곱이 가장 작을 때의 값을 구해보세요.

가장 작을 때

- 카드 1, 2, 3, 5 (3, 5 지움): $235 \times 1 = 235$
- 카드 1, 3, 5, 6 (5, 6 지움): $356 \times 1 = 356$
- 카드 2, 8, 6, 4: $468 \times 2 = 936$
- 카드 5, 7, 6, 1: $567 \times 1 = 567$
- 카드 2, 7, 5, 3, 8: $357 \times 2 = 714$
- 카드 5, 7, 6, 8, 9: $678 \times 5 = 3390$

74 소마셈 - C5

5일차

곱이 가장 작은 식 (2)

(두 자리 수)×(두 자리 수)에서 숫자 카드를 한번씩 사용하여 곱셈식을 만들 때, 곱을 가장 작게 만드는 방법을 알아보세요.

카드 2, 3, 4, 5

(1) 곱을 가장 작게 만들려면 색칠된 칸에 들어가야 할 수는 무엇인지 써 보세요. (단, 작은 수를 위쪽에 씁니다.)

2□ × 3□

(2) 남은 수를 넣어서 만들 수 있는 두 가지 곱셈식을 계산하여 곱의 크기를 비교해 보세요.

- 25×34: 100, 75, 850
- 24×35: 120, 72, 840
- ➡ 가장 작을 때: 24×35: 120, 72, 840

4주 - 곱셈식 만들기 75

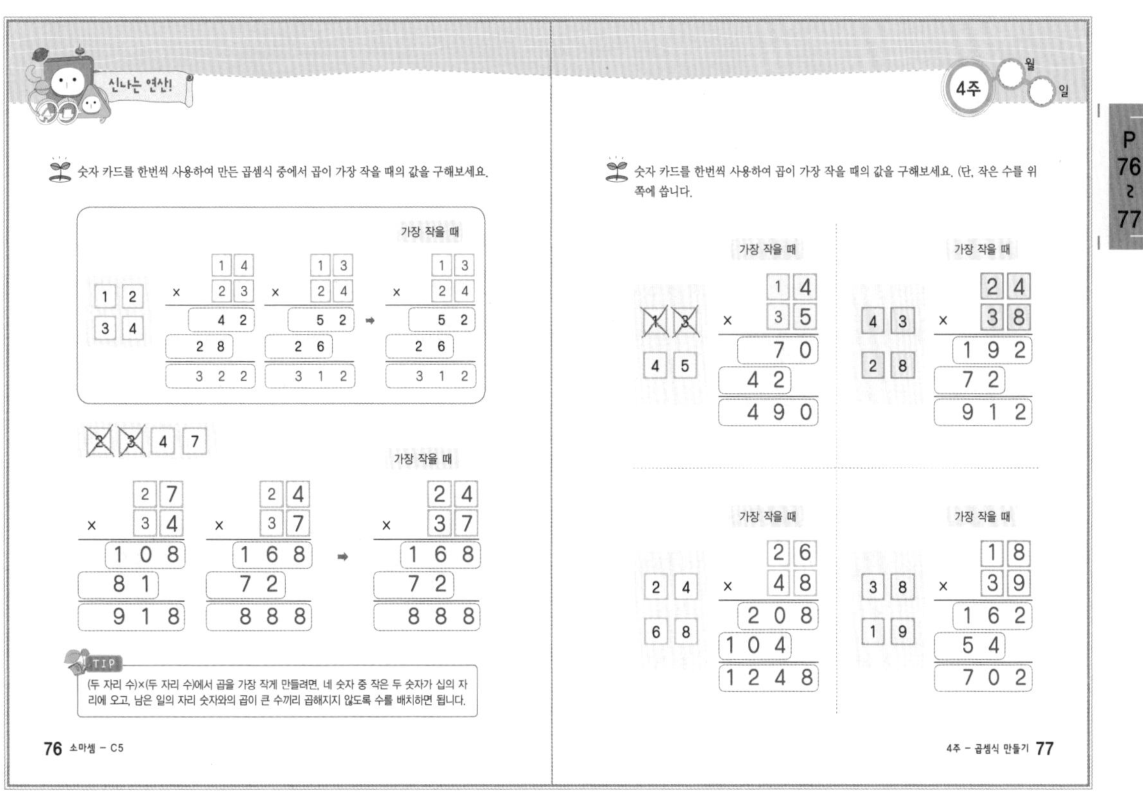

신나는 연산!

숫자 카드를 한번씩 사용하여 만든 곱셈식 중에서 곱이 가장 작을 때의 값을 구해보세요.

카드 1, 2, 3, 4

- 14×23: 42, 28, 322
- 13×24: 52, 26, 312
- ➡ 가장 작을 때: 13×24: 52, 26, 312

카드 2, 3, 4, 7 (2, 3 지움)

- 27×34: 108, 81, 918
- 24×37: 168, 72, 888
- ➡ 가장 작을 때: 24×37: 168, 72, 888

TIP

(두 자리 수)×(두 자리 수)에서 곱을 가장 작게 만들려면, 네 숫자 중 작은 두 숫자가 십의 자리에 오고, 남은 일의 자리 숫자와의 곱이 큰 수끼리 곱해지지 않도록 수를 배치하면 됩니다.

76 소마셈 - C5

4주 월 일

숫자 카드를 한번씩 사용하여 곱이 가장 작을 때의 값을 구해보세요. (단, 작은 수를 위쪽에 씁니다.)

가장 작을 때

- 카드 1, 3, 4, 5 (1, 3 지움): 14×35: 70, 42, 490
- 카드 4, 3, 2, 8: 24×38: 192, 72, 912
- 카드 2, 4, 6, 8: 26×48: 208, 104, 1248
- 카드 3, 8, 1, 9: 18×39: 162, 54, 702

4주 - 곱셈식 만들기 77

P 74 ~ 75

P 76 ~ 77

P 78

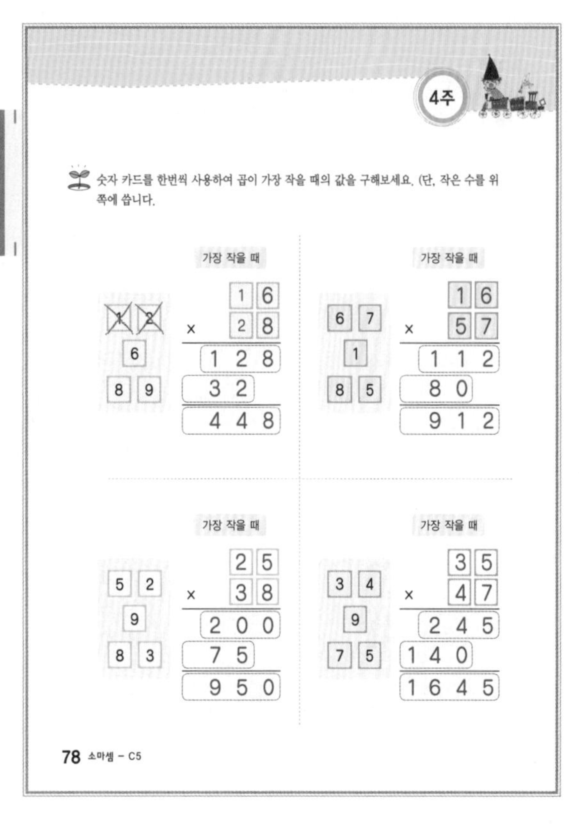

4주

숫자 카드를 한번씩 사용하여 곱이 가장 작을 때의 값을 구해보세요. (단, 작은 수를 위쪽에 씁니다.)

숫자 카드	가장 작을 때
1, 2, 6, 8, 9	16 × 28: 128, 32, 448
6, 7, 1, 8, 5	16 × 57: 112, 80, 912
5, 2, 9, 8, 3	25 × 38: 200, 75, 950
3, 4, 9, 7, 5	35 × 47: 245, 140, 1645

P 80 ~ 81

1주차 drill

(세 자리 수)×(두 자리 수) (1)

빈칸에 알맞은 수를 써넣으세요.

157 × 30 = 4710	562 × 40 = 22480	237 × 50 = 11850
731 × 20 = 14620	624 × 40 = 24960	257 × 60 = 15420
822 × 40 = 32880	306 × 80 = 24480	527 × 50 = 26350
226 × 90 = 20340	814 × 20 = 16280	446 × 70 = 31220

빈칸에 알맞은 수를 써넣으세요.

352 × 40 = 14080	568 × 20 = 11360	275 × 60 = 16500
826 × 40 = 33040	365 × 60 = 21900	804 × 50 = 40200
678 × 70 = 47460	562 × 40 = 22480	237 × 80 = 18960
318 × 80 = 25440	654 × 60 = 39240	892 × 20 = 17840

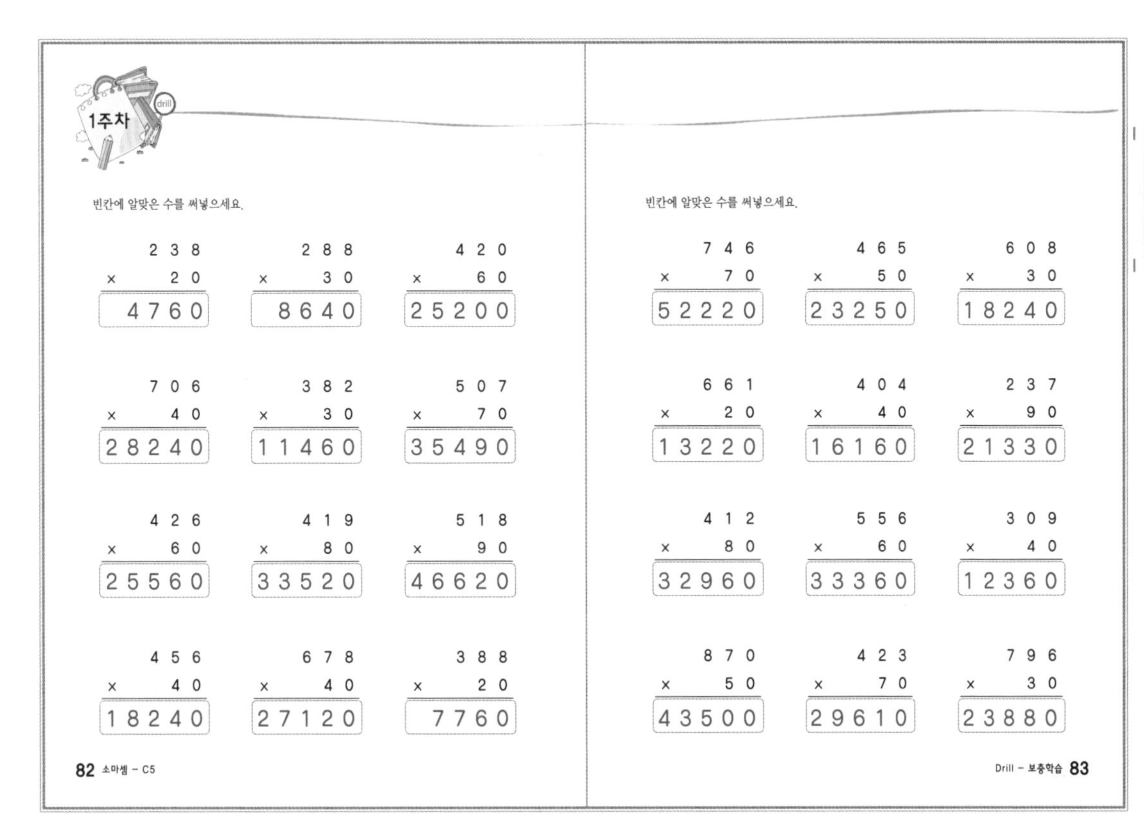
1주차 drill

P 82 ~ 83

빈칸에 알맞은 수를 써넣으세요.

곱해지는 수	곱하는 수	답
238	× 20	4760
288	× 30	8640
420	× 60	25200
706	× 40	28240
382	× 30	11460
507	× 70	35490
426	× 60	25560
419	× 80	33520
518	× 90	46620
456	× 40	18240
678	× 40	27120
388	× 20	7760

82 소마셈 - C5

빈칸에 알맞은 수를 써넣으세요.

곱해지는 수	곱하는 수	답
746	× 70	52220
465	× 50	23250
608	× 30	18240
661	× 20	13220
404	× 40	16160
237	× 90	21330
412	× 80	32960
556	× 60	33360
309	× 40	12360
870	× 50	43500
423	× 70	29610
796	× 30	23880

Drill - 보충학습 83

1주차 drill

P 84 ~ 85

빈칸에 알맞은 수를 써넣으세요.

곱해지는 수	곱하는 수	첫째 부분곱	둘째 부분곱	답
157	× 63	471	942	9891
247	× 18	1976	247	4446
532	× 34	2128	1596	18088
406	× 28	3248	812	11368
123	× 32	246	369	3936
282	× 36	1692	846	10152
545	× 61	545	3270	33245
379	× 25	1895	758	9475
158	× 22	316	316	3476

84 소마셈 - C5

빈칸에 알맞은 수를 써넣으세요.

곱해지는 수	곱하는 수	첫째 부분곱	둘째 부분곱	답
207	× 35	1035	621	7245
168	× 45	840	672	7560
432	× 17	3024	432	7344
319	× 41	319	1276	13079
562	× 27	3934	1124	15174
392	× 53	1176	1960	20776
458	× 17	3206	458	7786
168	× 74	672	1176	12432
249	× 52	498	1245	12948

Drill - 보충학습 85

정답

P 86 ~ 87

1주차 drill

빈칸에 알맞은 수를 써넣으세요.

406×22	412×56	287×23
812	2472	861
812	2060	574
8932	23072	6601

119×63	263×18	379×48
357	2104	3032
714	263	1516
7497	4734	18192

408×26	535×38	708×52
2448	4280	1416
816	1605	3540
10608	20330	36816

86 소마셈 – C5

빈칸에 알맞은 수를 써넣으세요.

347×29	177×43	404×38
3123	531	3232
694	708	1212
10063	7611	15352

349×28	621×18	704×42
2792	4968	1408
698	621	2816
9772	11178	29568

662×13	327×19	226×32
1986	2943	452
662	327	678
8606	6213	7232

Drill – 보충학습 87

P 88 ~ 89

2주차 drill (세 자리 수)×(두 자리 수) (2)

각 자리의 위치를 맞추어 빈칸에 알맞은 수를 써넣으세요.

812×12	633×13	182×46
1624	1899	1092
812	633	728
9744	8229	8372

155×47	289×29	327×17
1085	2601	2289
620	578	327
7285	8381	5559

408×32	552×23	711×18
816	1656	5688
1224	1104	711
13056	12696	12798

88 소마셈 – C5

각 자리의 위치를 맞추어 빈칸에 알맞은 수를 써넣으세요.

165×52	266×34	482×62
330	1064	964
825	798	2892
8580	9044	29884

547×27	507×55	184×24
3829	2535	736
1094	2535	368
14769	27885	4416

342×18	289×82	337×18
2736	578	2696
342	2312	337
6156	23698	6066

Drill – 보충학습 89

각 자리의 위치를 맞추어 빈칸에 알맞은 수를 써넣으세요.

289 × 15	524 × 15	228 × 81
1445	2620	228
289	524	1824
4335	7860	18468

314 × 42	309 × 77	623 × 16
628	2163	3738
1256	2163	623
13188	23793	9968

192 × 39	475 × 58	639 × 82
1728	3800	1278
576	2375	5112
7488	27550	52398

각 자리의 위치를 맞추어 빈칸에 알맞은 수를 써넣으세요.

403 × 28	715 × 36	372 × 71
3224	4290	372
806	2145	2604
11284	25740	26412

428 × 18	626 × 29	504 × 33
3424	5634	1512
428	1252	1512
7704	18154	16632

328 × 72	662 × 19	345 × 54
656	5958	1380
2296	662	1725
23616	12578	18630

빈칸에 알맞은 수를 써넣으세요.

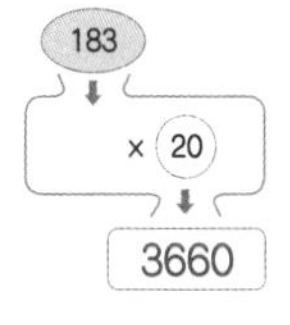

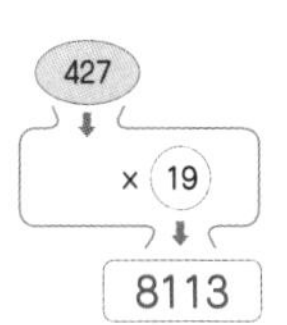

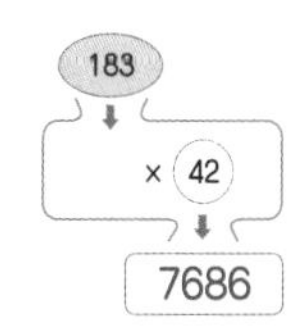

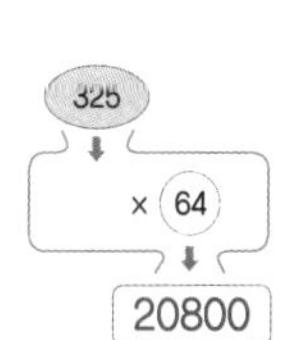

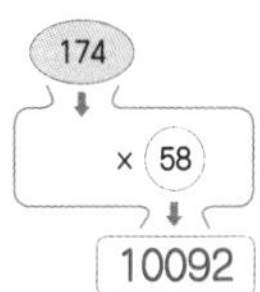

519
× 63
32697

빈칸에 알맞은 수를 써넣으세요.

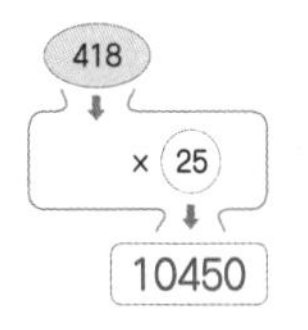

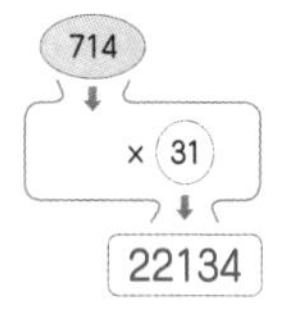

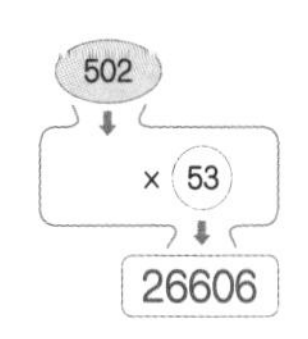

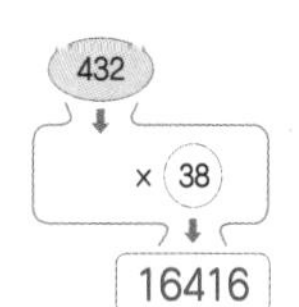

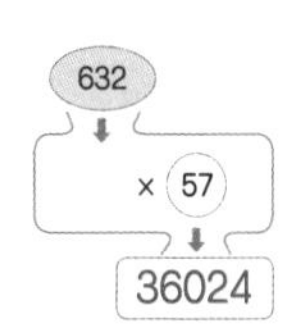

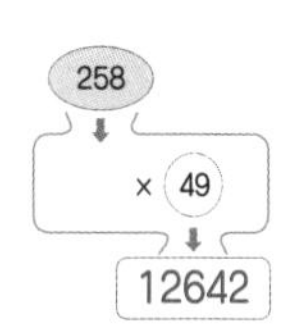

P 94 ~ 95

빈칸에 알맞은 수를 써넣으세요.

370 × 50 = 18500

469 × 30 = 14070

237 × 46
1422
948
10902

362 × 54
1448
1810
19548

357 × 42
714
1428
14994

536 × 49
4824
2144
26264

빈칸에 알맞은 수를 써넣으세요.

450 × 80 = 36000

528 × 30 = 15840

351 × 64
1404
2106
22464

429 × 38
3432
1287
16302

518 × 46
3108
2072
23828

743 × 25
3715
1486
18575

P 96 ~ 97

(네 자리 수)×(두 자리 수)

빈칸에 알맞은 수를 써넣으세요.

2462 × 50 = 123100

3308 × 40 = 132320

1582 × 70 = 110740

2869 × 20 = 57380

4275 × 30 = 128250

4083 × 60 = 244980

5079 × 20 = 101580

1887 × 40 = 75480

1795 × 60 = 107700

3453 × 60 = 207180

5407 × 20 = 108140

2378 × 70 = 166460

빈칸에 알맞은 수를 써넣으세요.

2773 × 50 = 138650

8011 × 20 = 160220

5362 × 30 = 160860

4275 × 40 = 171000

3482 × 60 = 208920

6201 × 30 = 186030

5443 × 20 = 108860

7027 × 30 = 210810

1896 × 70 = 132720

3624 × 40 = 144960

3188 × 50 = 159400

7234 × 20 = 144680

3주차 drill

빈칸에 알맞은 수를 써넣으세요.

1436	2478	4232
× 27	× 19	× 47
10052	22302	29624
2872	2478	16928
38772	47082	198904
3208	2718	3881
× 36	× 36	× 29
19248	16308	34929
9624	8154	7762
115488	97848	112549
5327	4053	3566
× 45	× 32	× 24
26635	8106	14264
21308	12159	7132
239715	129696	85584

빈칸에 알맞은 수를 써넣으세요.

2057	3512	4504
× 34	× 48	× 17
8228	28096	31528
6171	14048	4504
69938	168576	76568
3614	2346	7134
× 28	× 52	× 15
28912	4692	35670
7228	11730	7134
101192	121992	107010
1896	5252	4743
× 45	× 26	× 19
9480	31512	42687
7584	10504	4743
85320	136552	90117

3주차 drill

빈칸에 알맞은 수를 써넣으세요.

6005	2544	3802
× 27	× 19	× 23
42035	22896	11406
12010	2544	7604
162135	48336	87446
4123	1826	6443
× 56	× 27	× 19
24738	12782	57987
20615	3652	6443
230888	49302	122417
1827	3204	8116
× 25	× 27	× 71
9135	22428	8116
3654	6408	56812
45675	86508	576236

빈칸에 알맞은 수를 써넣으세요.

2303	3907	1777
× 48	× 33	× 43
18424	11721	5331
9212	11721	7108
110544	128931	76411
3287	4184	3058
× 39	× 22	× 16
29583	8368	18348
9861	8368	3058
128193	92048	48928
4026	5624	2824
× 19	× 24	× 35
36234	22496	14120
4026	11248	8472
76494	134976	98840

P 102 ~ 103

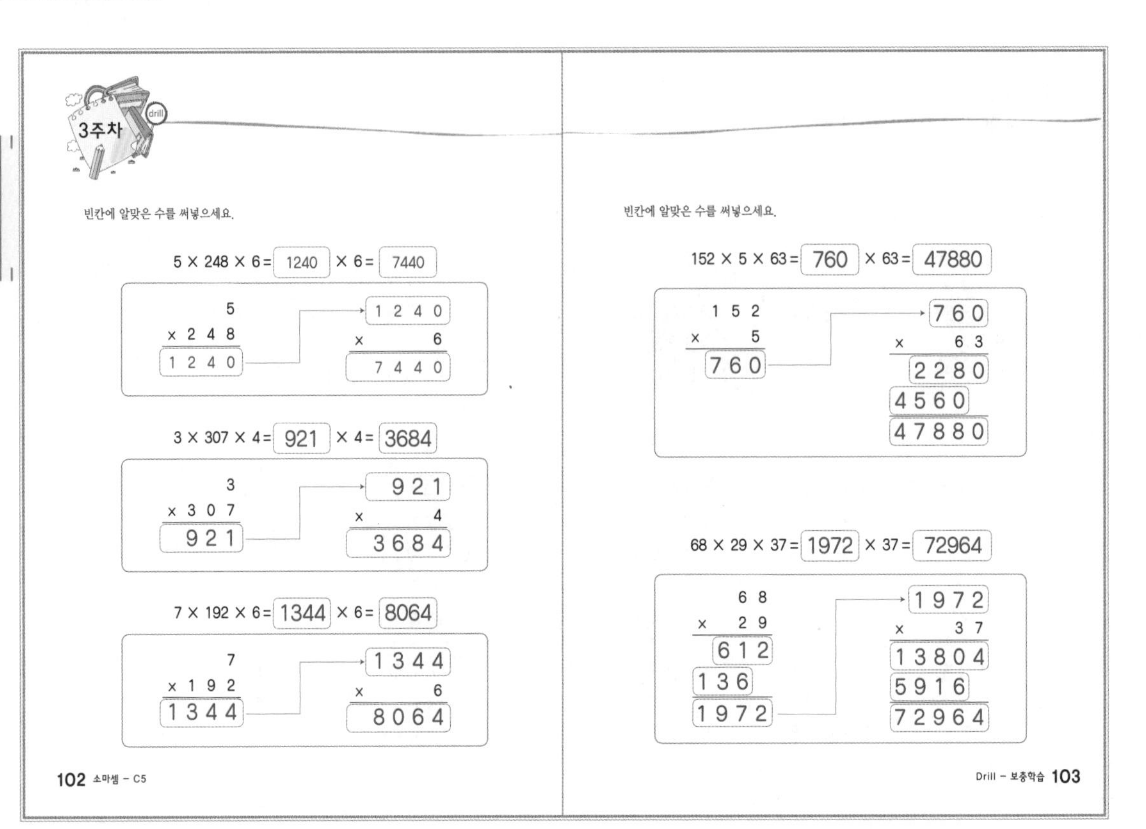

3주차 drill

빈칸에 알맞은 수를 써넣으세요.

5 × 248 × 6 = 1240 × 6 = 7440

5 × 248 = 1240 → 1240 × 6 = 7440

3 × 307 × 4 = 921 × 4 = 3684

3 × 307 = 921 → 921 × 4 = 3684

7 × 192 × 6 = 1344 × 6 = 8064

7 × 192 = 1344 → 1344 × 6 = 8064

102 소마셈 - C5

빈칸에 알맞은 수를 써넣으세요.

152 × 5 × 63 = 760 × 63 = 47880

152 × 5 = 760 → 760 × 63: 2280, 4560, 47880

68 × 29 × 37 = 1972 × 37 = 72964

68 × 29: 612, 136, 1972 → 1972 × 37: 13804, 5916, 72964

Drill - 보충학습 103

P 104 ~ 105

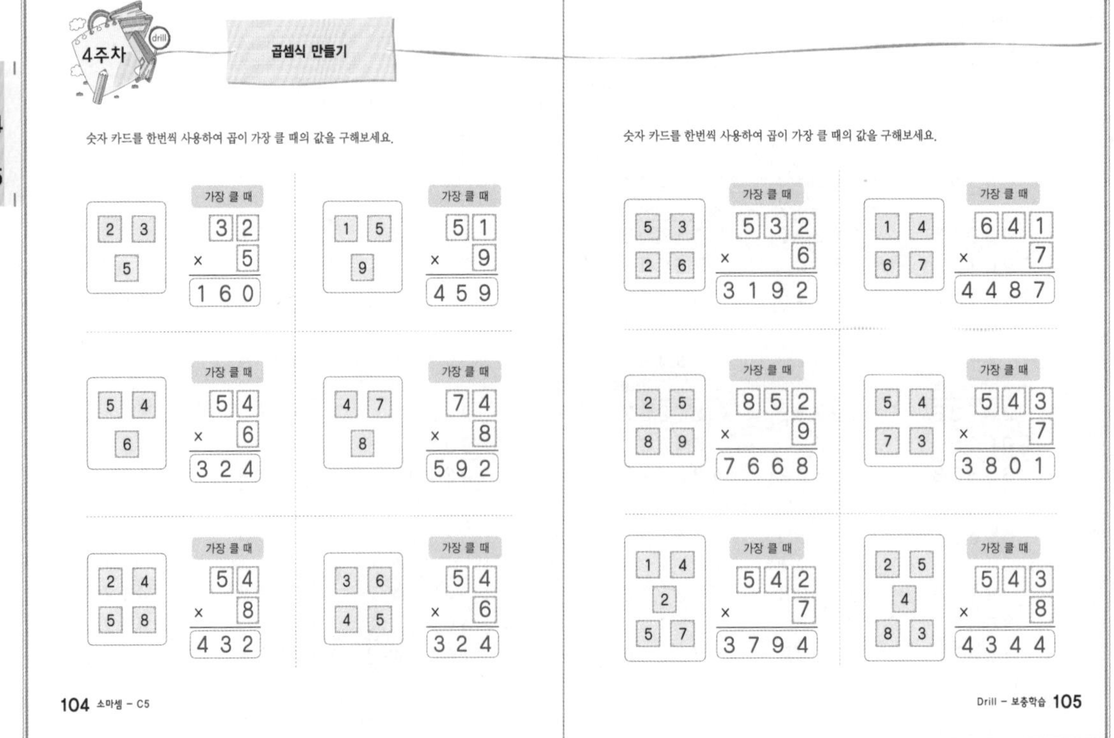

4주차 drill

곱셈식 만들기

숫자 카드를 한번씩 사용하여 곱이 가장 클 때의 값을 구해보세요.

숫자 카드	가장 클 때
2, 3, 5	32 × 5 = 160
1, 5, 9	51 × 9 = 459
5, 4, 6	54 × 6 = 324
4, 7, 8	74 × 8 = 592
2, 4, 5, 8	54 × 8 = 432
3, 6, 4, 5	54 × 6 = 324

104 소마셈 - C5

숫자 카드를 한번씩 사용하여 곱이 가장 클 때의 값을 구해보세요.

숫자 카드	가장 클 때
5, 3, 2, 6	532 × 6 = 3192
1, 4, 6, 7	641 × 7 = 4487
2, 5, 8, 9	852 × 9 = 7668
5, 4, 7, 3	543 × 7 = 3801
1, 4, 2, 5, 7	542 × 7 = 3794
2, 5, 4, 8, 3	543 × 8 = 4344

Drill - 보충학습 105

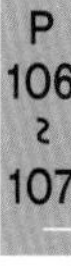

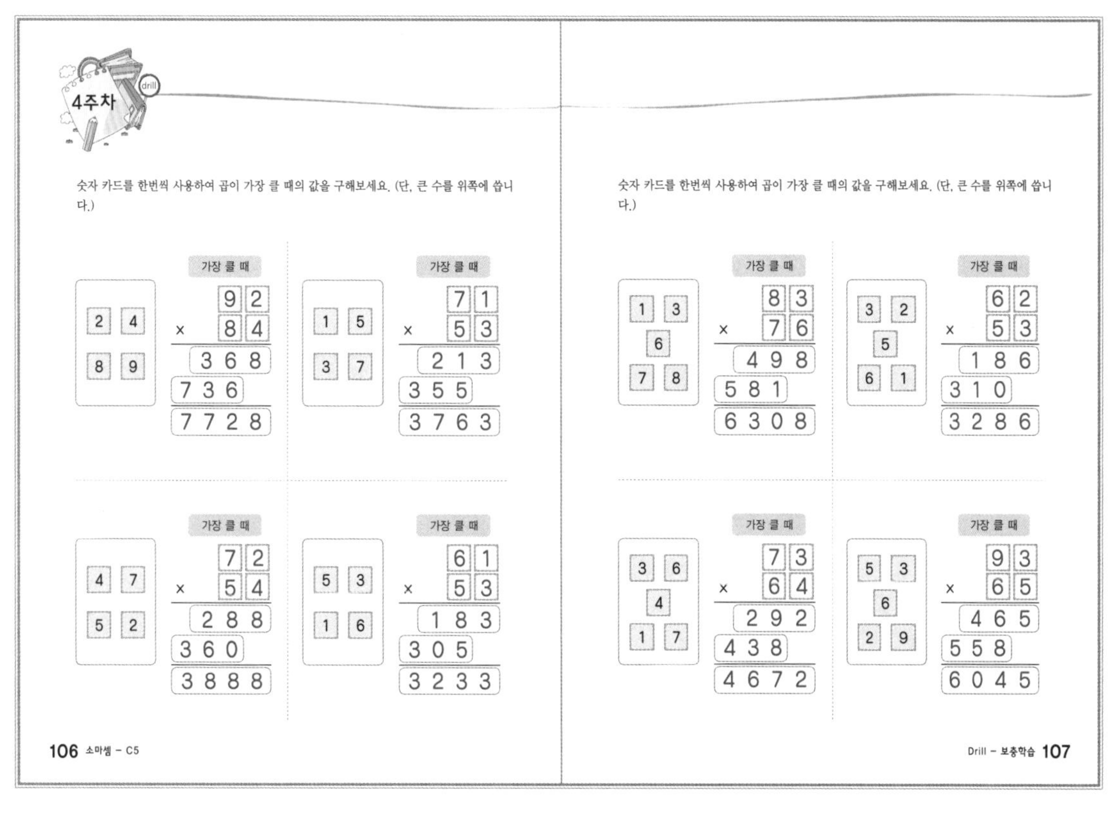

4주차 drill

숫자 카드를 한번씩 사용하여 곱이 가장 클 때의 값을 구해보세요. (단, 큰 수를 위쪽에 씁니다.)

가장 클 때 — 카드: 2, 4, 8, 9
92×84: 368, 736, 7728

가장 클 때 — 카드: 1, 5, 3, 7
71×53: 213, 355, 3763

가장 클 때 — 카드: 4, 7, 5, 2
72×54: 288, 360, 3888

가장 클 때 — 카드: 5, 3, 1, 6
61×53: 183, 305, 3233

106 소마셈 – C5

숫자 카드를 한번씩 사용하여 곱이 가장 클 때의 값을 구해보세요. (단, 큰 수를 위쪽에 씁니다.)

가장 클 때 — 카드: 1, 3, 6, 7, 8
83×76: 498, 581, 6308

가장 클 때 — 카드: 3, 2, 5, 6, 1
62×53: 186, 310, 3286

가장 클 때 — 카드: 3, 6, 4, 1, 7
73×64: 292, 438, 4672

가장 클 때 — 카드: 5, 3, 6, 2, 9
93×65: 465, 558, 6045

Drill – 보충학습 107

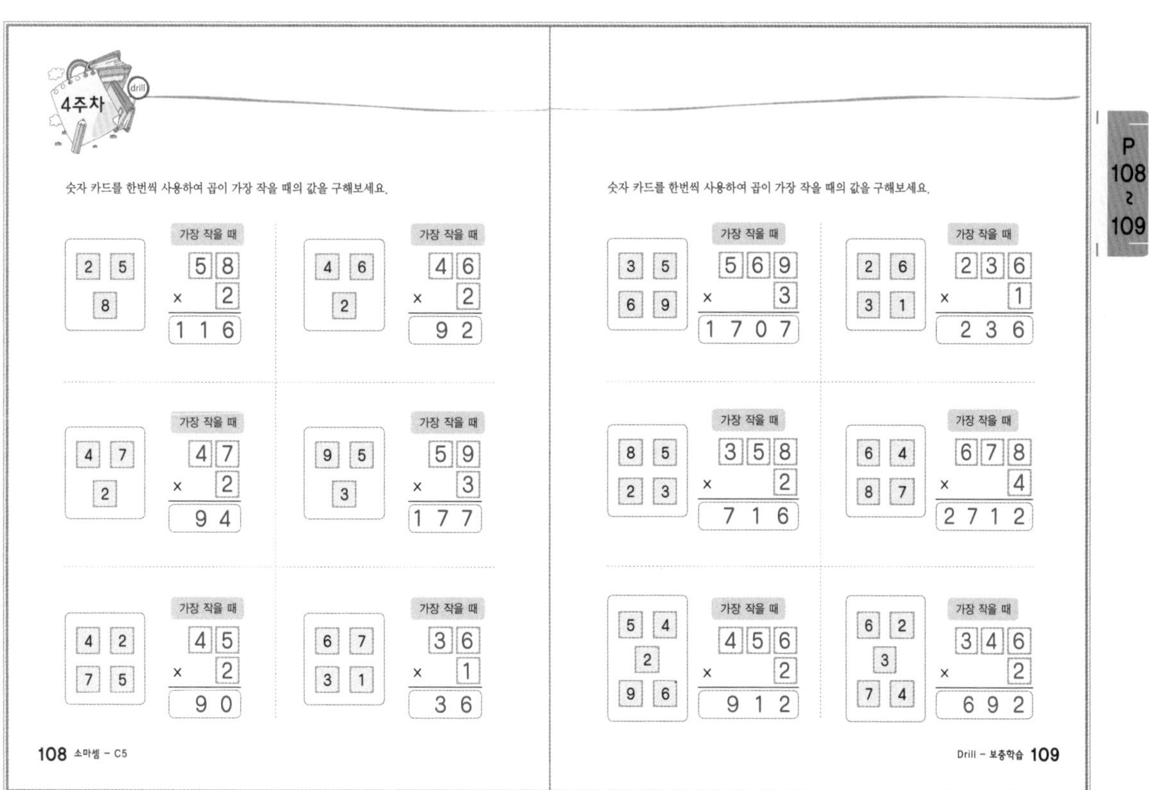

4주차 drill

숫자 카드를 한번씩 사용하여 곱이 가장 작을 때의 값을 구해보세요.

가장 작을 때 — 카드: 2, 5, 8
$58 \times 2 = 116$

가장 작을 때 — 카드: 4, 6, 2
$46 \times 2 = 92$

가장 작을 때 — 카드: 4, 7, 2
$47 \times 2 = 94$

가장 작을 때 — 카드: 9, 5, 3
$59 \times 3 = 177$

가장 작을 때 — 카드: 4, 2, 7, 5
$45 \times 2 = 90$

가장 작을 때 — 카드: 6, 7, 3, 1
$36 \times 1 = 36$

108 소마셈 – C5

숫자 카드를 한번씩 사용하여 곱이 가장 작을 때의 값을 구해보세요.

가장 작을 때 — 카드: 3, 5, 6, 9
$569 \times 3 = 1707$

가장 작을 때 — 카드: 2, 6, 3, 1
$236 \times 1 = 236$

가장 작을 때 — 카드: 8, 5, 2, 3
$358 \times 2 = 716$

가장 작을 때 — 카드: 6, 4, 8, 7
$678 \times 4 = 2712$

가장 작을 때 — 카드: 5, 4, 2, 9, 6
$456 \times 2 = 912$

가장 작을 때 — 카드: 6, 2, 3, 7, 4
$346 \times 2 = 692$

Drill – 보충학습 109

P 108 ~ 109

P 110 ~ 111

4주차 drill

숫자 카드를 한번씩 사용하여 곱이 가장 작을 때의 값을 구해보세요. (단, 작은 수를 위쪽에 씁니다.)

카드: 2, 6, 7, 9 — 가장 작을 때

$$\begin{array}{r} 27 \\ \times\ 69 \\ \hline 243 \\ 162 \\ \hline 1863 \end{array}$$

카드: 5, 1, 6, 8 — 가장 작을 때

$$\begin{array}{r} 16 \\ \times\ 58 \\ \hline 128 \\ 80 \\ \hline 928 \end{array}$$

카드: 3, 8, 2, 9 — 가장 작을 때

$$\begin{array}{r} 28 \\ \times\ 39 \\ \hline 252 \\ 84 \\ \hline 1092 \end{array}$$

카드: 6, 9, 4, 3 — 가장 작을 때

$$\begin{array}{r} 36 \\ \times\ 49 \\ \hline 324 \\ 144 \\ \hline 1764 \end{array}$$

숫자 카드를 한번씩 사용하여 곱이 가장 작을 때의 값을 구해보세요. (단, 작은 수를 위쪽에 씁니다.)

카드: 1, 3, 4, 6, 8 — 가장 작을 때

$$\begin{array}{r} 14 \\ \times\ 36 \\ \hline 84 \\ 42 \\ \hline 504 \end{array}$$

카드: 5, 2, 4, 8, 6 — 가장 작을 때

$$\begin{array}{r} 25 \\ \times\ 46 \\ \hline 150 \\ 100 \\ \hline 1150 \end{array}$$

카드: 8, 3, 7, 5, 6 — 가장 작을 때

$$\begin{array}{r} 36 \\ \times\ 57 \\ \hline 252 \\ 180 \\ \hline 2052 \end{array}$$

카드: 4, 5, 2, 3, 9 — 가장 작을 때

$$\begin{array}{r} 24 \\ \times\ 35 \\ \hline 120 \\ 72 \\ \hline 840 \end{array}$$

Note

Note